P9-AGC-874

CLASSICS

••• 世界经典文学名著宝库 •••

西游记

—— 原著 / 吴承恩 ［明］ ——

JOURNEY TO THE WEST

云南出版集团公司
云南教育出版社

童年的伙伴，一生的财富

　　好的文学作品对人的影响弥足珍贵，尤其对成长中的儿童来说，这些蕴含丰富思想内容的传世杰作对他们的一生都具有难以取代的教育意义。

　　本套儿童彩图注音版的"世界经典文学名著宝库Classics"系列，精心挑选了30部在世界上影响巨大的文学巨著。长期以来，这些名家名作被翻译成各国文字，在世界各地广为流传，受到了各国儿童的欢迎和喜爱。中国古典四大名著让孩子们充分感受中华传统文化的无穷魅力；《安徒生童话》带领孩子们遨游绮丽多姿的童话王国；《木偶奇遇记》让孩子和匹诺曹一起体验成长的喜怒哀乐；《钢铁是怎样炼成的》则向孩子们展示了一个青年在战火纷飞的激情年代坎坷而壮丽的一生……这些经典作品无一不将想象力、创造力发挥到极致，开阔了孩子们的视野，感染着他们的心灵……

　　就让孩子们从这里走近经典，让经典伴随他们快乐成长。

世界儿童基金会　林春雷

感受文学名著的永恒魅力

经典文学名著是历经时间考验的。它们凝聚着人类的智慧和情感，同时又反过来对人类的思想和情感产生巨大的影响。伟大的文学名著没有国界，它们是全人类共同的精神财富。

这套书所包含的30部作品，每一部都赫赫有名，每一部都是世界文学史上登峰造极的经典，涵盖了不同时代、不同国家、不同作家的优秀代表作。同时它们又是最适合儿童阅读的作品，是世界各国少年儿童最好的精神食粮。

考虑到小读者的年龄特点，编者为所有作品都配上了精美的插图，这些插图大都出自优秀的儿童文学插图画家，可以让孩子更好地领略原著的风貌。透过这些作品，小读者不仅能够真切地感受到各个国家和民族优秀的历史、文化遗产，而且还能感染到人类最高尚的情感和最珍贵的品质，这些必将对他们的一生产生重要的积极影响。

中国儿童教育研究所　　陈勉

FOREWORD 前言

　　《西游记》是中国文学史上的一颗明珠。它是一部神话小说,讲述的是唐僧、孙悟空、猪八戒和沙和尚去西天取经的故事。

　　《西游记》里有很多本领高强、生动有趣的人物,比如机智勇敢的孙悟空、好吃懒做的猪八戒、任劳任怨的沙和尚,以及各显神通的神仙妖魔。这是一部极具想象力、拥有丰富内涵、思想健康的书,其故事情节在民间广为流传,特别是孙悟空大闹天宫、真假美猴王、三借芭蕉扇等故事更是尽人皆知。《西游记》对于启迪少儿智慧、培养坚毅勇敢的品德非常有帮助。

　　本书在原著的基础上进行改写,力求保留原著的精华,语言生动优美,情节凝练紧凑,画面赏心悦目。为便于低年级小朋友的阅读和理解,本书还标注了汉语拼音。

　　相信本书能凭其趣味性、生动性,激发起小朋友阅读经典名著的热情,进一步加深小朋友的文学素养,从而受益一生。

WORLD FAMOUS CLASSICAL LITERATURE
· 世界经典文学名著宝库 ·

目录 · 西游记 ·
CONTENTS

| 第一章 |

花果山美猴王出世

石猴横空出世。

cóng qián zài yáo yuǎn de dōng
从前，在遥远的东
hǎi biān shang yǒu yí zuò měi lì de
海边上，有一座美丽的
huā guǒ shān shān dǐng shang yǒu yí
花果山。山顶上有一
kuài xiān shí tā cháng nián xī qǔ
块仙石，它长年吸取
zhe tiān dì de líng qì hé rì yuè
着天地的灵气和日月
de jīng huá yǒu yì tiān xiān shí
的精华。有一天，仙石
tū rán bèng liè cóng lǐ miàn bèng
突然迸裂，从里面蹦
chū yì zhī shí hóu zhǐ jiàn tā shuāng yǎn
出一只石猴，只见他双眼
fàng shè chū liǎng dào jīn guāng shǎn shǎn fā
放射出两道金光，闪闪发
liàng zhí shè tiān tíng
亮，直射天庭。

cǐ shí yù dì zhèng zuò zài líng xiāo bǎo diàn shang hé zhòng shén xiān yì shì
此时，玉帝正坐在灵霄宝殿上和众神仙议事，
hū jiàn tiān jiè zhī xià yǒu jīn guāng shǎn shuò dà chī le yì jīng yǐ wéi yǒu yāo
忽见天界之下有金光闪烁，大吃了一惊，以为有妖
guài zuò luàn jí máng mìng qiān lǐ yǎn shùn fēng ěr èr wèi shén jiàng dǎ kāi nán tiān
怪作乱，急忙命千里眼、顺风耳二位神将打开南天
mén dǎ tàn míng bai bù jiǔ èr wèi shén jiàng huí bào dào dōng hǎi biān yǒu yí
门打探明白。不久，二位神将回报道："东海边有一

座花果山，山上有一块仙石，产下一只石猴，他目射金光，因此惊动了天庭。现在，金光已经消失了，陛下不必担忧。"玉帝这才慢慢说道："原来是天地精华的产物，不足为怪。"

石猴一出世就在山中蹦蹦跳跳，渴了喝山泉，饿了吃野果，每天和山中的动物一起玩耍，日子过得很快活。一天，天气炎热，石猴跟着一群猴子到山涧里洗澡。洗着洗着，他

石猴和百兽交上了朋友。

们突发奇想，要去寻

找这水的源头。

猴子们顺着山

涧往上爬，终于找

到了泉水的源头。

原来这是一道瀑布，

像银河一样从天而

降，飞泻下来。大

家齐声叫道："谁有

美猴王率领群猴定居花果山。

本事，敢钻进瀑布里去看看，我们就拜他为王！"石猴高声叫道："我去！"

石猴闭上眼睛，一纵身就跳进瀑布里。他睁开眼睛一看，发现里面竟然没有水，而是一个山洞，各种石器样样都有。洞中有一块石碑，刻着"花果山福地，水帘洞洞天"。石猴跳出洞，把一切告诉大家，还说："那是一个好地方，我们都进去住吧！"于是大家都跳进水帘洞。

真是猴性顽皮，猴子们刚进水帘洞，就一个个抢夺石桌石椅，搬来移去，一直搬得没力气了方才停下来。这时，石猴端坐在上面说道："各位啊，你们刚才说谁有本事进得来出得去，就拜他为王。我如今进来又出去，出去又进来，为各位寻到这安身的福地，你们怎么忘了拜我为王这回事了呢？"猴子们听了，果然都信守承诺，一个个朝上跪拜，口称"千岁大王"。

自此以后，石猴高登王位，便将"石"字隐去了，改称"美猴王"。

| 第二章 |

真心诚意石猴学艺

转眼三五百年过去了。一天，美猴王和群猴们正玩得开心，突然变得伤心起来，他想虽然自己现在很快乐，但总有一天会死去。一只年老的猴子安慰他说："大王要想长生不老，除非能成佛、仙、神。"大家听了纷纷赞同。于是美猴王决定寻找神仙，学会长生不老的本领。

猴王出海学艺。

第二天，他独自撑着木筏，去大海的深处寻找神仙。过了八九年，美猴王历经千辛万苦，可是并没有找到神仙。有一天，海风把木筏吹到了西牛贺洲。美猴王上岸后，来到一座高山前。他听樵夫说，这

猴王向祖师叩头学艺。

座山叫灵台方寸山，山上有个斜月三星洞，里面住着一位名叫"须菩提祖师"的神仙，法力无边。美猴王听说后，赶紧找到洞府，跟着仙童来到祖师面前。看到祖师在台上端坐，美猴王连忙跪下叩头，嘴里还叫道："师父，弟子给您行礼了！"祖师见他聪明伶俐，很喜欢他，就收他为徒，还给他取了个名字，叫"孙悟空"。

于是，孙悟空开始学艺了。每天他跟着师兄们学习写字、焚香，空闲时就干些养花修树、扫地挑水的活儿。这样一过就是六七年。一天，祖师提出要教悟空本领，比如占卜吉凶、参禅打坐等。悟空见这些都不能长生不老，就一律不学。祖师很生气，跳下戒台，用戒尺在他的头上连打三下，然后背着手走了，关上了中门。师兄们见了都纷纷指责悟空。当晚三更时，悟空悄悄地来到后门，看见师父正在屋里睡觉，就跪在床前等候。一会儿，祖师醒了，故意呵斥悟空。悟空说："您不是让我三更时从后门进来，教我学长生不老的法术吗？"

祖师拿着戒尺在悟空的头上打了三下。

祖师见悟空参透了他的心意，非常欣喜，就把长生不老的秘诀传授给他，还教给他七十二般变化以及驾筋斗云的本领。

很快，三年过去了。悟空整日勤学苦练，终于把七十二般变化的法术都学会了。另外，悟空本来就喜欢蹦蹦跳跳的，所以学起筋斗云也很容易。

一天，悟空和师兄们在一起玩耍，大家要他变化一下看看。悟空就得意地念起咒语，摇身一变，变成一棵松树，大伙见了齐声叫好。喧闹声惊动了祖师，他走出来问："是谁在这里吵闹？"得知悟空在卖弄本领后，祖师十分生气，把他严厉地教训了一顿。

悟空连忙给师父叩头，请求他原谅。但祖师不但不原谅他，还要赶他走，任凭悟空流泪哀求，都无济于事。最后，悟空只好和大家道别。

临行前，祖师特意嘱咐悟空，不论什么时候，都不能说是他的弟子。悟空无奈，只好谢别祖师，乘着筋斗云离开了。

悟空向祖师拱手，乘着筋
斗云离开了。

| 第三章 |

欢天喜地龙宫得宝

悟空回到了花果山水帘洞，众猴大摆宴席，为猴王接风。猴子们告诉悟空，最近有个混世魔王常来欺负他们。悟空大怒，他杀了混世魔王，从此开始教猴子们武艺。他们没有兵器，就做了一些木刀竹枪。

悟空知道如果真有敌人来，这些木刀竹枪都不顶用。于是，他来到傲来国，把城里的真兵器全都搬到了花果山。

看着小猴们每天拿着兵器操练，悟空很高兴。但是，还有一件事让他不开心，那就是自己还没有合适的兵器。有个老猴想出个主意，说："东海龙王那里有很多好兵器，大王去龙宫借一件来用吧。"

悟空施展功夫，转眼来到东海。他使出一个避水法，一下子潜入海底。悟空见到东海龙王敖广后，便说明来意。龙王不好推辞，只好让手下取出大捍刀、

孙悟空大战混世魔王。

在龙宫中，悟空神气十足地挥舞着金箍棒。

九股叉和方天戟。悟空耍了耍,却嫌这些兵器都太轻。

龙王无奈,只好带悟空来到藏宝库,让他自己挑选兵器。

悟空走到宝库中间,忽见眼前金光万道,原来前面是根铁柱子。这根铁柱子大约两丈多长,有斗来粗。悟空惊喜地说:"这个宝贝不错,要是能小点儿就好了。"话音刚落,那宝贝就细了一圈。悟空高兴地拿起来仔细观看,只见铁棒的两头是金箍,上面写着"如意金箍棒,重一万三千五百斤"。悟空心中暗喜,觉得这宝贝一定知道人的心意,他又说:"再细些就更好了。"果然,铁棒又变得细了些。悟空高兴地挥舞着金箍棒,吓得虾兵蟹将四处逃走。这根铁棒本是定海神珍铁,龙王以为悟空拿不动它,就会心服口服地走人,这突然的变故让龙王手足无措。悟空才不管这些,借到兵器后,又在南海龙王敖钦、西海龙王敖闰和北海龙王敖顺那里凑足了一套金甲、金冠和步云鞋,穿戴好了,这才高兴地回到了花果山。

众猴见大王归来,十分欣喜,就让他展示一下从龙宫得的宝贝。悟空拿出金箍棒，大展神威，舞动起来。满山的妖魔鬼怪见了又惊又怕，纷纷参拜悟空。悟空就收下他们，一起饮酒作乐。

一天，悟空在酒宴上喝醉了，正睡得迷迷糊糊，突然被两个勾魂鬼套上绳索，拉到了幽冥界。悟空一看这是阎王住的地方，顿时火冒三丈。他心想："我已经修成了长生不老之身，为什么还要取我性命？"于是，他掏出金箍棒，将两个勾魂鬼打成了肉酱，又一路杀到了阴曹地府，质问起十代冥王来。

十代冥王战战兢兢地说："大王，你的阳寿到了，所以我才命人去捉你。"

悟空不信，逼着十代冥王拿来生死簿，大笔一挥，勾掉了自己的名字，又顺手把所有猴子的名字全部勾掉了。然后他笑着说："太好了，今后再也不归你们管了。"说完，一路打出了幽冥界。被吓呆了的十代冥王这才缓过神来。他们慌忙跑到翠云宫去见地藏王菩萨，商量着去向玉皇大帝告状。

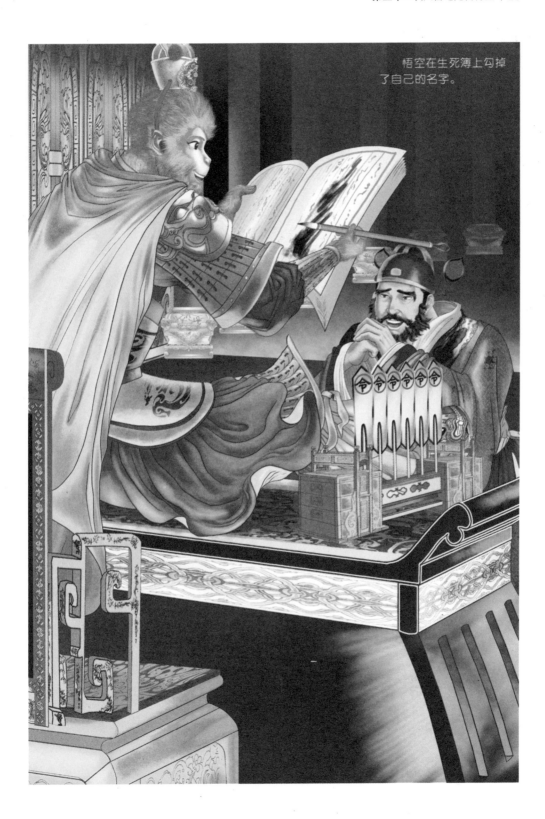

悟空在生死簿上勾掉了自己的名字。

| 第四章 |

喜气洋洋封弼马温

四海龙王和十代冥王都向玉皇大帝告了悟空的状。玉皇大帝准备派天兵天将降伏他。这时太白金星出了个点子,建议把悟空召到天宫,封个小官,这样就能管束他了。玉帝觉得有道理,便派他前去传旨。

太白金星.乘着祥云,来到花果山水帘洞。悟空正想上天游玩,听到太白金星的话,高兴地随他一同来到天庭。玉帝听说御马监缺个职位,就封他做了弼马温。

悟空当上弼马温,负责照看上千匹天马。他每天尽职尽责,精心喂养,不久就把天

孙悟空尽职尽责地饲养天马。

马养得膘肥体壮。半个月过去了，一天，悟空和几个监官饮酒聊天时，问起自己的官职品级，没想到监官们告诉他，弼马温的官职是最低的，这可惹恼了悟空。

孙悟空自封为"齐天大圣"。

他一气之下推翻了酒席，一路打出天界，回到花果山。到家后，悟空一直愤愤不平，索性自己做了一面大旗，写上"齐天大圣"四个大字，挂在花果山上。

玉帝知道悟空私下天界后，命托塔李天王与哪吒三太子去捉拿他。李天王和哪吒带领大批天兵天将来到花果山，悟空穿戴好盔甲，出洞迎战。打头阵的巨灵神被悟空一棒就打翻在地，哪吒三太子连忙出阵，喝道："我是托塔李天王的三太子哪吒，奉玉帝的旨令，特来捉你。"悟空说："管你是谁，你看看我的旗上是什么字号，回去告诉玉帝，如果他不给我这种官衔，我定要打上灵霄宝殿！"哪吒听了，变做三头六臂，手拿六种武器，恶狠狠地向悟空打来。悟空见了，也变做三头六臂，用六只手拿着三根金箍棒相迎。二人各显神威，大战三十回合。

哪吒的六种武器变做千千万万，悟空的金箍棒则变做万万千千，二人的武器舞得像雨点流星一般，不分胜负。这时，悟空手疾眼快，拔下一根毫毛，叫

天兵天将来捉拿孙悟空。

声："变！"这根毫毛立刻变成他的模样，可他的真身却来到哪吒身后，一棒子打到哪吒的后脑勺。哪吒只好忍痛逃走，落败而归。

哪吒回来告诉李天王："这猴子在洞口竖了

一面旗，写着'齐天大圣'四个字。他想让玉帝封他做齐天大圣，否则就要打入天庭。"于是李天王回去将情况禀告了玉帝。

玉帝闻言大怒，

太白金星奉玉帝之命前往花果山招安悟空。

又要增兵派将，这时太白金星又启奏道："天兵不一定能打败悟空，不如就封他'齐天大圣'的空官衔，只把他管制起来就行了。"玉帝觉得有理，便写下圣旨，派太白金星前去招安。

太白金星又来到花果山，宣读了玉帝的圣旨。悟空见目的达到了，就开心地随太白金星重返天庭。玉帝正式封悟空为齐天大圣，又命人在蟠桃园附近建起一座齐天大圣府，还派了两个仙吏服侍，悟空这才高高兴兴地上了任。

第五章

偷吃蟠桃猴王闯祸

悟空整日逍遥自在，无所事事。玉帝担心他惹是生非，就派他去看管蟠桃园。土地神告诉悟空，人吃了蟠桃能和天地同寿，变成神仙。悟空听后，十分高兴。

一天，悟空看到桃子熟了一大半，想吃个新鲜，就支开土地神和随从，爬上桃树。他坐在树枝上，挑了七八个熟透的大桃子，吃了个够。以后每隔两三天，他就设法再去偷吃一顿蟠桃。

这一天，王母娘娘要在瑶池开蟠桃盛会，便派七仙女来到蟠桃园摘桃。土地神告诉她们，要想进桃园得先告知大圣。但是众人找了半天，却不见大圣的人影。原来，悟空吃过桃子，变成拇指长的小人，正躲在一片树叶下睡觉呢。七仙女在桃园里转了半天，只摘到几个半生不熟的桃子。一个仙女看

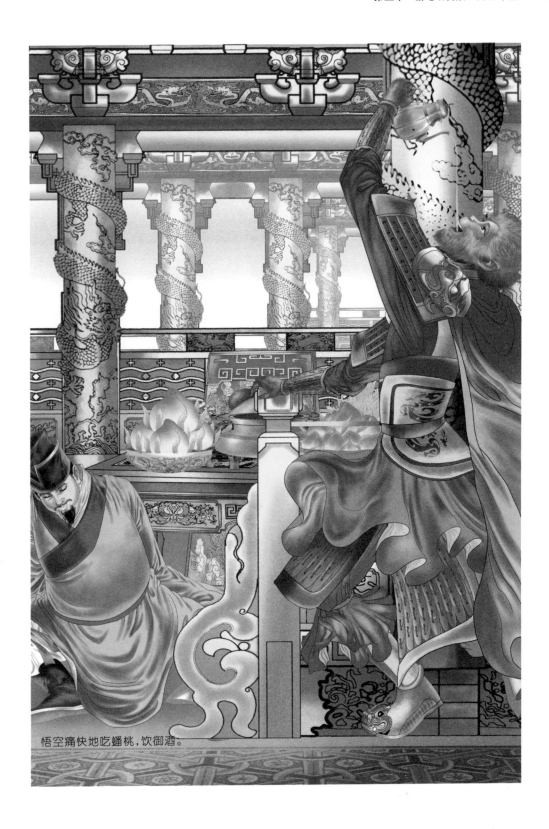

悟空痛快地吃蟠桃，饮御酒。

到有个半红半白的桃子，伸手去摘，谁知刚碰到桃子，就把睡在这根树枝上的悟空惊醒了。

这下，悟空知道了王母娘娘要开蟠桃盛会，请了各路神仙，却单单没邀请他。悟空很生气，于是施展定身术，定住了七仙女，赶到瑶池。这时，宴席已经摆好了，可神仙们还没有来，于是悟空端起美酒，痛快地喝了起来，又吃了很多山珍海味。直到喝得晕晕糊糊，悟空才知道闯了祸，心想不如早点儿回去睡觉吧。

醉醺醺的悟空一路摇摇晃晃地走着，竟然来到了太上老君的丹房。太上老君恰好外出讲道，其他仙人也随他出去了，宫里没有人。悟空看到丹炉旁有五个葫芦，打开一看，发现里面有很多炼好的金丹。他想："今天趁太上老君不在，俺老孙也尝尝金丹的味道。"于是他把金丹都倒了出来，像吃炒豆似的，嘎嘣嘎嘣地大嚼起来。吃光了仙丹，悟空也醒酒了。他知道自己闯了弥天大祸，恐怕性命难保，急忙使了个隐身法，逃回花果山。

悟空趁太上老君不在,
把他的仙丹都吃光了。

| 第六章 |

齐天大圣大闹天宫

七仙女解脱定身法后，急忙回去禀报王母娘娘。王母娘娘又得知仙酒被偷喝，太上老君也发现仙丹被吃光，大家就一起向玉帝告状。玉帝听了大怒，下令李天王和哪吒挂帅，率十万天兵天将，去捉拿悟空。

来到花果山后，九曜星官首先迎战悟空，结果只打了几个回合，就败下阵来。哪吒大怒，他变成三头六臂的模样冲向悟空。悟空也变成三头六臂的模样，举棒迎击。打了几十回合后，哪吒也败阵而回。

话说观音菩萨带着弟子惠岸赶赴蟠桃盛会，却见瑶池遍地狼藉。得知有猴怪搅乱天庭后，她派惠岸前往花果山，协助天兵天将作战。惠岸驾云来到花果山，与悟空战了五六十回合。悟空越战越勇，惠岸招架不住，只好落荒而逃。李天王派大力鬼王和惠

孙悟空和哪吒都变成三
头六臂的模样，打斗起来。

岸回天启奏。二人回到天庭后，菩萨听说天兵战不过那泼猴，就向玉帝推荐了一位神仙，他就是住在灌江口、神通广大的显圣二郎真君，人称"二郎神"。接到玉帝的诏令，二郎神便率领神兵，牵着哮天犬，直奔花果山。

一见面，二郎神就布好阵势，同悟空恶战起来。他们打了三百多回合，仍然分不出胜负。

两人正打得难解难分时，二郎神的手下杀向花果山，打得猴兵们丢刀弃甲，跑的跑，散的散。悟空看到众猴惊散，心里发慌，赶紧把金箍棒藏在耳朵里，刹那间变成一只小麻雀，飞到树梢上。二郎神拿出弹弓，瞄准悟空便打。悟空赶紧滚下山崖，在河边变成一座土地庙。他张开的嘴变成庙门，舌头变做菩萨，眼睛变成窗户，只有尾巴不好变，只能变成旗杆，插在庙宇后面。

二郎神追到河边，看到庙宇的旗杆插在后面，知道是悟空变的，就要抬脚踢庙。悟空扑的一下跳到空

二郎神与悟空正在激战。

悟空被天兵天将捉住了。

中不见了，原来他变成二郎神的模样，跑到了灌江口，这里有二郎神的神庙。悟空正装模作样地查看香火时，见二郎神追赶进来，只好现出原形，二人又一路打回花果山。这时，各路的天兵天将一拥而上，将悟空团团围住。

再说玉帝、观音菩萨、太上老君等人一直不见二郎神获胜归来，就亲自赶往南天门，遥望下界，想看个究竟。太上老君见众人难捉妖猴，就捋起衣袖，从左胳膊上取下一个圈子，说："这件兵器是用还丹点成的，善于变化，能套住百物，又叫金钢琢。"他看准悟空的脑袋，用力扔了出去。悟空正在酣战，没想到天上掉下个兵器，顿时被砸得跌倒在地。

悟空刚要爬起来，二郎神的哮天犬追上来，一口咬住了他的腿肚子。周围的天将赶快围了上来，用勾刀穿住了他的琵琶骨，使他不能再变化，又用绳索把他捆个结结实实，将他带回天庭，听凭玉皇大帝发落。

| 第七章 |

如来佛施法镇大圣

回到天庭后,玉帝传旨,将悟空押到斩妖台处置。

可是,无论刀砍斧剁,还是雷劈火烧,都不能伤他半根毫毛。原来悟空吃过太上老君的仙丹,已经炼成金钢不坏之躯了。

在太上老君的建议下,悟空被扔进八卦炉里。八卦炉里火光冲天,灼热难耐,悟空在里面蹦来跳去,无意中跳到"巽宫"的位置,这里只有烟没有火,所以悟空不但毫发未伤,还炼就了一双"火眼金睛"。炉火烧了四十九天,太上老君觉得火候到了,就命童子开炉。谁知炉门一开,悟

悟空被扔到八卦炉里,结果炼就了"火眼金睛"。

悟空开始没有把佛祖放在眼里。

空从里面蹦了出来，一脚踢倒了八卦炉。接着，悟空掏出金箍棒，一路打到灵霄宝殿外，然后又变成了三头六臂，与三十六员雷将展开激战。悟空很快占了上风。玉帝吓坏了，立刻传旨派人请来了西天如来佛祖救驾。

如来佛祖来到灵霄宝殿外，微笑着对正在打斗的悟空说："我是西天极乐世界的释迦牟尼佛祖。听说你胆大妄为，不知你为何这么霸道？"悟空说："我是花果山的灵仙，想坐坐玉帝的宝座哩！"

如来佛祖说："我们打个赌吧！如果你能翻出我的手掌心，我就叫玉帝让位给你！"悟空心想："这下我赢定了，他的手掌方圆不到一尺，怎会跳不出去呢？"于是，他站在如来佛祖的手掌心上，大喊一声："我去了！"说完

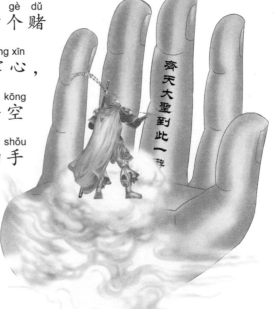

悟空在柱子上留下记号。

他翻了一个筋斗，转眼就跑得无影无踪。

悟空不记得翻了多少个筋斗，正跑着，忽然看到前面有五根大柱子支撑青天，就以为到天边了。他变出一枝毛笔，在中间的柱子上写下"齐天大圣到此一游"几个大字。接着，悟空在第一根柱子下撒了泡猴尿，这才驾起筋斗云，得意洋洋地回到如来佛祖的面前。如来佛祖说："回头看看，你离开过我的手掌心吗？"悟空回头一看，发现自己写的字竟在如来佛祖的中指上，他的拇指缝里还有猴尿的气味。

悟空大吃一惊，转身就要逃跑。如来佛祖将手掌一翻，把他推入凡间，手指变成金、木、水、火、土五座大山，将他压在山下。玉帝和神仙们开始庆贺起来。

这时，忽然有仙官进殿报告说："不好了，悟空快把五行山摇倒了！"如来佛祖闻听，从袖中取出一张帖子，让人贴在山顶，五行山顿时稳住了。随后，如来佛祖吩咐五行山周围的土地神和五方揭谛，让他们看押悟空。等悟空刑期满了，自然会有人来救他。

| 第八章 |

唐僧受命西天取经

观音菩萨奉如来佛祖的法旨，来到东土大唐，寻找去西天求取三藏真经的人。菩萨寻访了很长时间，一直没有找到合适人选。一天，法师玄奘正在长安城宣讲佛法，菩萨看到玄奘，掐指算出他是佛子转世，于是暗中选定了他。

玄奘是佛子转世，菩萨暗中选定他为取经人。

菩萨变成僧人的模样，捧着袈裟和锡杖两件宝物来到皇宫，让唐太宗将宝物转送给玄奘，唐太宗高兴地答应了。这一天，在佛经大会上，唐太宗与众人正在听玄奘讲授佛经，观音菩萨突然在法坛上空现出原身。众人见了纷纷跪地膜拜。观音菩萨说："在西天天竺国大雷音寺那里，如来佛祖藏有三藏真经，如果有人取经回来，大家便能修成善果。"说完，她就驾着祥云离去了。

唐太宗当即询问众人，有谁肯去西天拜佛求经。

这时，玄奘走上前，表示愿意去取经。唐太宗很高兴，立即与他结拜成兄弟，称他为"御弟圣僧"。第二天一早，唐太宗设朝，将通关文牒、紫金钵盂、袈裟和锡杖亲手交给玄奘，并赐给他一匹好马。唐太宗对玄奘说："观音菩萨说西天藏有三藏真经，我就为你取法号为'唐三藏'吧！"三藏谢过唐太宗后，辞别众人，踏上了西天取经之路。

玄奘和唐太宗依依惜别。

第九章

五行山悟空拜师父

唐僧穿着菩萨赐予的袈裟，挂着锡杖，一路往西天而行。这年深秋，唐僧来到五行山下，见此山高耸入云，险峻异常。唐僧正发愁如何翻过大山时，忽听山脚下有人高声喊道："师父！师父！"唐僧听了既害怕又奇怪，就战战兢兢地四下寻找。

没多久，他看到石缝里有只猴子。这猴子正从狭窄的石缝里探出头，大声乱叫："师父，你怎么这时才来？快救我出去，我保你去西天取经。"唐僧不解地问道："你是谁？为什么叫我师父？"悟空说："我乃是五百年前大闹天宫的孙悟空，被如来佛祖压在山下。前不久，观音菩萨路过这里，见我可怜，让我皈依佛门，保护取经人去西天取经，这样我就能赎罪。师父，快救我出去吧，让我保你去西天取经！"唐僧问他："我没有斧头，怎么才能救你出来呢？"悟空说：

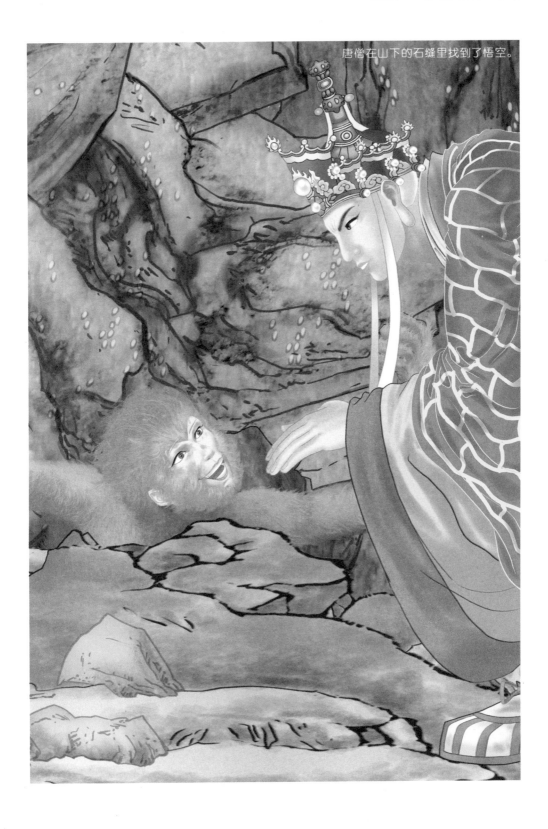

唐僧在山下的石缝里找到了悟空。

"山顶有佛祖的帖子,只要揭下它,我自会出来。"

唐僧爬到高山顶上,对着帖子拜了几拜,才把它揭了下来。这时,悟空又叫道:"师父,请你走远点儿,我好出来,免得吓到你!"唐僧走了五六里,听到悟空还在叫:"再远些!再远些!"唐僧又走远一些,只听见一阵山崩地裂后,悟空已经跪在他的面前,叩头道:"师父!师父!我出来了!"

唐僧问:"徒儿,你姓什么?"悟空说:"我姓孙,名

悟空崩裂山石,跳出五行山。

悟空。"唐僧高兴地说:"这名字挺像僧人的。我再给你起个别名吧,叫做行者,好吗?"悟空兴奋地说:"好!好!"他利索地把唐僧扶上马,背起包袱,开始向西而行。过了五行山,路边忽然

冲出一只猛虎，咆哮着冲向唐僧，吓得唐僧顿时慌了手脚。悟空说："师父别怕，这下我有衣服穿了！"说着，他从耳朵里取出金箍棒，晃成碗口粗细，对着老虎当头打了一棒，一下子把它打死了。随后，他拔下一根毫毛，叫声"变"，就变出一把尖刀。他把虎皮剥下来，围在腰间，把它当做衣服。

这天，师徒二人正走着，忽见路边跳出六个强盗，手里拿着长枪短剑，要抢他们的马匹和包袱。悟空取出金箍棒，把强盗一个个打死了。唐僧责备悟空不该乱伤人性命，悟空受不得气，一纵身，驾着筋斗云离开了。

唐僧只好孤零零地往前走，心里又气又怕。正走着，迎面过来个老婆婆，手里拿着一件锦衣、一顶花帽。老婆婆询问唐僧的来历，唐僧就把事情的经过讲了出来。老婆婆说："你的徒弟会回来的。等他回来，你就给他穿戴上衣帽。我再教你一篇'紧箍咒'，如果他再闹，你就念紧箍咒。"说完咒语，老婆婆化作

唐僧念起紧箍咒，悟空顿时头痛欲裂。

一道金光消失了。唐僧猛然醒悟，知道是菩萨显灵，忙跪地膜拜。

不久，悟空气消了，又回到师父身边。唐僧拿出锦衣花帽，让悟空穿戴。

看到悟空穿戴好了，唐僧开始念起紧箍咒。悟空痛得在地上直打滚儿，可帽子里的金箍像长在肉里一样，越缩越紧，怎么也取不下来。唐僧一住口，悟空马上就不痛了。悟空知道头痛是师父念咒引起的，连忙大叫："师父，求求你，千万别念了！"唐僧问他："你今后还听不听我的教诲？"悟空老老实实地说："听！我以后再也不敢对师父无礼了！一定好好儿听师父的话，保护你去西天取经！"

小玉龙变身大白马

转眼到了冬天,北风凛冽。师徒俩正走在蛇盘山鹰愁涧边,这时,涧里突然钻出一条玉龙,扑向唐僧。悟空忙背起师父,转身就跑。玉龙追不上他们,就一口把唐僧

悟空与玉龙打斗起来。

的马吞掉了,转眼潜入水中。悟空回来发现马不见了,站在涧边骂道:"泼泥鳅,还我马来!"玉龙听到骂声,气得翻出水面,张牙舞爪地和悟空打斗起来。

玉龙和悟空各显神通,斗了很久。玉龙渐渐地没了力气,转身钻进水里,不管悟空怎么骂,就是不肯出来。悟空没有办法,只好独自回去了。唐僧见

悟空搅动涧水，
逼迫玉龙出来。

状，说："前几天，你还夸自己有降龙伏虎、翻天覆地的本领，怎么今天却降不了他？"悟空被激怒了，他来到涧边，掏出金箍棒，使出翻江倒海的本领，把清澈的涧水搅得像开了锅。玉龙受不了了，只好从水里跳了出来。悟空叫道："快还我的马！"玉龙说："我把马吃了，吐不出来。"悟空怒道："那我就打死你，给马偿命！"说完两人又打了起来，玉龙打不过悟空，就变成一条水蛇，钻进草丛里逃走了。

悟空找不到蛇，就把山神和土地神叫了出来，问道："这是哪里跑出来的玉龙，竟然敢吃俺老孙的马？"山神和土地神答道："这条玉龙是观音菩萨留在这儿的，等着取经人呢。"原来这条玉龙本是西海龙王的儿子，因放火烧了灵霄宝殿上的明珠，犯了死罪，是菩萨讲了情，让玉龙在蛇盘山鹰愁涧边等候唐僧到来，以便当他的坐骑。悟空一听，就要去找菩萨。

这时，金头揭谛来了，他帮悟空请来了菩萨。菩萨告诉悟空："这条玉龙不是普通的龙，而是特意为唐僧准备的龙马。"她又对揭谛说:"你到涧边叫一声'敖闰龙王三太子,你出来,有南海观音菩萨在此',他就会出来。"

果然,揭谛叫了两遍后,玉龙就蹿出水面,在空中向菩萨拜礼。菩萨上前,用杨柳枝在净瓶里蘸了点儿甘露,洒在玉龙身上,又吹了口仙气,说声"变",小玉龙就变成了一匹大白马。菩萨又摘下三片杨柳叶,贴在悟空的脑后,变成三根救命毫毛,然后说:"如果遇到紧急情况,这三根毫毛可救你性命。"说完,她乘着祥云离开了。

悟空牵着白马,回来把经过告诉了师父。唐僧焚香谢过菩萨,便带着悟空继续西行。

菩萨把小玉龙变成了大白马。

| 第十一章 |
高老庄八戒收为徒

yì tiān　　táng sēng hé wù kōng lái dào yí　gè cūn zhuāng méi zǒu duō jiǔ　　tā
一天，唐僧和悟空来到一个村庄。没走多久，他

men jiù　yù dào　yí gè shào nián　　cóng shào nián de kǒu zhōng　liǎng rén dé zhī zhè lǐ
们就遇到一个少年。从少年的口中，两人得知这里

jiào gāo lǎo zhuāng shào nián shì zhuāng zhǔ gāo tài gōng de　jiā dīng　xiàn zài gāo jiā zhāo
叫高老庄，少年是庄主高太公的家丁。现在高家招

lái le yāo guài　zhèng yào qù qǐng fǎ shī zhuō yāo ne　　wù kōng shuō　　huí qù gào
来了妖怪，正要去请法师捉妖呢。悟空说："回去告

su nǐ jiā zhuāng zhǔ　jiù shuō néng zhuō yāo de rén lái le　　shào nián tīng le　gǎn
诉你家庄主，就说能捉妖的人来了。"少年听了，赶

jǐn pǎo huí qù bǐng gào gāo tài gōng
紧跑回去禀告高太公。

gāo tài gōng wén yán dà xǐ　lián máng bǎ shī tú qǐng dào jiā li　shuō qǐ shì
高太公闻言大喜，连忙把师徒请到家里，说起事

qíng de jīng guò　　yuán lái　gāo tài gōng yǒu sān gè nǚ ér　dà nǚ ér hé èr nǚ
情的经过。原来，高太公有三个女儿，大女儿和二女

ér dōu chū jià le　zhǐ shèng xià
儿都出嫁了，只剩下

xiǎo nǚ ér　tā xiǎng zhāo gè
小女儿，他想招个

shàng mén nǚ xu yǎng lǎo
上门女婿养老。

sān nián qián zhuāng li lái le
三年前，庄里来了

gè xiǎo huǒ zi　zì chēng shì fú
个小伙子，自称是福

líng shān rén　xìng zhū　wú fù
陵山人，姓猪，无父

高太公向唐僧师徒说起了家中招
来妖怪的事情。

无母，愿意到高家当女婿。刚进门时，这个女婿倒也勤快，耕田种地，收割庄稼。可没过多久，这个女婿竟长成长嘴大耳的样子，一顿饭要吃三五斗米，活像头猪。再后来他就云里来，雾里去，飞沙走石，把村里的人吓得要死。高太公害怕了，想退掉这个女婿。女婿一生气，就把高太公的小女儿关在后宅院里，不让父女二人见面。

悟空跟高太公来到后宅院，用金箍棒捣碎门锁，救出了高太公的小女儿。父女俩一见面，不禁抱头痛哭。悟空让高太公带着小女儿离开，自己则变成她的模样，坐在房间里等着妖怪。没多久，一阵狂风吹过，天空中顿时飞沙走石，妖怪随即出现了。悟空装作生病的样子，坐在床上直喊难受。妖怪过来好言安慰，却被悟空一把推倒在地。悟空说："我父亲对你这个女婿不满，要请法师来捉你呢！"妖怪说："我才不怕呢！"悟空故意说："我听说，请来的是五百年前大闹天宫的齐天大圣！"妖怪听了，顿时心生

悟空扮成高小姐，戏弄妖怪。

恐惧，忙说："那我走了，我们做不成夫妻了！"他开门就要溜走，却被悟空一把扯住了。悟空把脸一抹，现出真身，喝道："妖怪，抬头看看我是谁！"妖怪抬头一看，吓得手脚发麻，赶紧挣破衣服，化成一阵风逃走了。

悟空追着妖怪，来到一座高山前，只见妖怪钻进了山洞，随即取出一柄九齿钉耙出来迎战。悟空问道："你是哪里来的妖怪，怎么知道我的名号？"妖怪说："我本是上界的天蓬元帅，因醉酒调戏了嫦娥，被贬下凡。不料投胎时，居然掉进母猪胎里，于是就成了现在的样子。"悟空说："你这不知羞耻的东西，到了凡间竟然还强占民女，吃我一棒！"说完两人打了起来。打到天快亮时，妖怪终究敌不过悟空，就变成狂风回到洞里，再也不出来了。

悟空来到洞口，把洞门打得粉碎，使劲儿地叫骂着。妖怪气得跳了出来，大骂道："你这猴子真是多管闲事！我做高老庄的女婿，与你有什么关系！"悟空说:"哼!我保护唐僧去西天取经,高太公请求我降妖,我才出手相助的!"妖怪赶紧扔下钉耙说:"取经人在哪儿?快带我见他。观音菩萨让我帮助取经人去西天取经呢!"悟空怕他使计,就把他的双手捆住,揪着他的耳朵,回到了高老庄。

妖怪见到唐僧,就叩头喊师父,又把菩萨劝他行善的事说了一遍。唐僧听了很高兴,认下这个徒弟,还给他取个诨名,叫八戒。

上路前,八戒对高太公说:"爹,我现在要去做和尚了,你好好儿照看我的老婆。万一哪天取不成经了,我还回来做你的女婿!"悟空呵斥道:"呆子,你别胡说!"八戒却说:"猴哥,我没胡说。我怕万一当不了和尚,老婆也丢了,那不是两头都落空了?"唐僧忙打断他们,说:"好了,别吵了,取经才是正道。我们还是趁早赶快出发吧!"

于是,三人离开高老庄,向西行去。

悟空扯着妖怪，让他拜唐僧为师。

| 第十二章 |

流沙河收服沙悟净

唐僧正在发愁如何过河。

yí rì shī tú sān rén lái dào liú shā
一日，师徒三人来到流沙

hé jiè zhǐ jiàn zhè tiáo dà hé wú biān wú
河界。只见这条大河无边无

jì zhuó làng tāo tiān wù kōng tiào dào
际，浊浪滔天。悟空跳到

kōng zhōng yí kàn fā xiàn zhè tiáo hé zhì
空中一看，发现这条河至

shǎo yǒu bā bǎi lǐ kuān què bú jiàn yì
少有八百里宽，却不见一

tiáo dù chuán
条渡船。

zhèng kàn zhe hū tīng yí zhèn shuǐ
正看着，忽听一阵水

xiǎng zhǐ jiàn hé li zuān chū yí gè xiōng
响，只见河里钻出一个凶

è de yāo guài zhè gè yāo guài tóu fa péng sōng liǎng yǎn rú dēng jǔ zhe bǎo
恶的妖怪。这个妖怪头发蓬松，两眼如灯，举着宝

zhàng xiàng táng sēng měng pū guo lai wù kōng lián máng bào qǐ shī fu wǎng gāo chù
杖，向唐僧猛扑过来。悟空连忙抱起师父，往高处

pǎo qù bā jiè jǔ qǐ dīng pá yǔ yāo guài duì dǎ qǐ lai dǎ le èr shí huí
跑去。八戒举起钉耙，与妖怪对打起来，打了二十回

hé bù fēn shèng fù wù kōng ān dùn hǎo shī fu jǔ bàng xiàng yāo guài dǎ qù
合，不分胜负。悟空安顿好师父，举棒向妖怪打去。

yāo guài xià de zhuǎn shēn yì duǒ zuān jìn hé li
妖怪吓得转身一躲，钻进河里。

èr rén huí lái jiàn le shī fu shuō míng qíng kuàng táng sēng shuō zhè tiáo
二人回来见了师父，说明情况。唐僧说："这条

河漫无边际，不可贸然迎战，得让识水性的引领引领才好。"八戒当年曾总督天河，水性不错，就自告奋勇地下了河。八戒和妖怪在水底一番激战，水浪被搅得不停翻滚。打出水面后，八戒假装败退，转身往岸边跑。不料，妖怪刚出水面，性急的悟空举棒就打。妖怪不敢迎战，又钻入河里，再也不肯上岸。

二人见捉不住妖怪，只好回来告诉师父。唐僧听了很是担忧，不知如何才能渡河。悟空说："看来还得找观音菩萨。"他驾着筋斗云，直奔南海，见到菩萨，说明来意。

菩萨责备地说："一定是你这猴头逞强，不肯说出你们是去西天取经。那妖怪本是天上的卷帘大将，因在蟠桃会上失手打碎了琉璃盏，被玉帝贬下凡间，变成妖怪。当年

八戒与妖怪打得不可开交。

我与他相遇时，他被我劝化了，答应保护唐僧去西天取经。我还给他取了个法名，叫沙悟净。"观音菩萨说完，就派弟子惠岸随同悟空前往流沙河。

到了流沙河，惠岸按照菩萨的指示，在河水上空高声喊道："悟净！悟净！取经人就在这里，你快出来吧！"听到有人叫着观音菩萨赐予的法号，妖怪明白是取经人来了，赶紧从水底钻了出来。

他听了惠岸的话，情愿做唐僧的徒弟。

悟空取来戒刀，唐僧为悟净剃了头发，还给他取了别名，叫沙和尚。接着，沙和尚按照观音菩萨的旨意，把菩萨托惠岸带来的葫芦放在河里，葫芦立刻变成一艘宝船。

众人登上宝船后，八戒扶着唐僧的左手，沙和尚扶着唐僧的右手，悟空在后面牵着白马，一行人平安地渡过了流沙河。

上岸后，惠岸收了葫芦，转身离去。唐僧带着三个徒弟，继续向西赶路。

唐僧师徒登上宝船，稳稳当当渡过流沙河。

第十三章

吃人参果惹恼悟空

师徒四人走了很多天。

这一日，他们来到万寿山

五庄观，只见这里清幽

异常。他们猜测里面一

定有神仙居住，就进去拜

访。刚进观内，就有两个童

子走出来，把他们迎入房中。

两个童子把唐僧
请入五庄观中。

原来，这里是仙人镇元子的道观。几天前，他

得知唐僧要路过此地，而自己恰好外出，就让留守的

两个童子好好儿接待，还吩咐他们，用两个人参果招

待唐僧。按照吩咐，两个童子悄悄地摘下人参果，趁

悟空他们不在，拿给唐僧吃。可唐僧却因人参果长

得像婴儿，死活也不肯吃。原来，这人参果是天地灵

物，九千年才能成熟。人只要闻一下，就能活三百

六十岁；吃一个，能活四万七千年。两个童子见唐僧不肯吃，只好回到房中，把人参果分吃了。

说来也巧，童子的房间紧挨厨房。正在里面做饭的八戒听到了，馋得口水直流，嚷着让悟空去摘。

悟空来到隔壁，偷走摘果用的金击子，跑到了后园，很快就用金击子敲下一个果子。不料，果子掉在地上，顿时无影无踪。悟空生气地叫出土地神询问，这才得知：原来，人参果一遇到土就会钻进去。再打人参果时，悟空就用衣襟兜着，一连打下三个果子。

悟空向土地神喝问果子的去向。

回房后，悟空叫来八戒和沙和尚，一人吃了一个。八戒没吃够，又嚷着让悟空再去摘。

隔壁的童子听到了，慌忙跑到园中，发现人参果少了四个。童子认定是唐僧师徒四人偷吃了，就跑去质问唐僧。唐僧叫来三个徒弟对质，悟空只承认摘了三个。可童子却咬定是四个，还不依不饶地辱骂悟空。悟空气得咬牙切齿，就拔下毫毛，变出一个假悟空站在那儿挨骂，自己却跑到人参果树下，拿出金箍棒一阵乱打，最后又将树连根拔起。这时，人参果都掉落下来，钻到土里不见了。

两个童子见唐僧师徒都不吭声，以为自己数错了，决定再去果园数数看。这一看吓得他们魂飞魄散，他们决定先捉住唐僧师徒，等师父回来再说。两人回去后，把师徒四人锁在房间里。悟空变出瞌睡虫，让两个童子呼呼大睡，又用解锁法打开房门，这才和大伙儿逃了出来。

天亮时，镇元子回来了，他念动咒语，叫醒了沉睡的童子。得知事情的原委后，镇元子立刻驾云追上唐僧师徒。悟空见事情败露，举棒就打。不料，镇元子袍袖一展，使出一招"袖里乾坤"，将师徒四人全部带回了五庄观，绑在柱子上。镇元子怒气冲

镇元子将袍袖一展，使出一招"袖里乾坤"，把唐僧师徒全都装了进去。

冲地要鞭打唐僧。为了保护师父，悟空要求先打自己。见童子要打腿，悟空就把双腿变成铁腿，结果童子鞭打一天，悟空却安然无恙。晚上，镇元子和道童们都睡着了，悟空趁机

悟空把石狮子变成了替身，真身却跳在空中。

钻出绳索，救出唐僧三人。悟空把师父扶上马后，一行人悄悄地逃走了。

不料，镇元子很快发现了，又用袍袖将唐僧师徒捉了回来。这次，镇元子搬来一口沸腾的油锅，准备油炸悟空。悟空将石狮子变成替身，童子一扔，结果把油锅砸出个大洞。镇元子气得要油炸唐僧，这下悟空害怕了。因为师父是肉身，受不了这种折磨。他只好要求讲和，答应还给镇元子一棵活人参果树。

唐僧问悟空："你到何处去求方？"悟空说："我要上东洋大海，遍游三岛十洲，访问仙翁圣老，求

悟空向各路神仙寻求活树之方。

一个起死回生之法，一定能医活他的果树。"

说完，悟空纵起筋斗云，很快来到蓬莱仙境。他按落云头，仔细观看，只见白云洞外、松阴之下，有三个老人正在下围棋——观局者是寿星，对局者是福星、禄星。悟空走上前，把来意向三位神仙说了一遍。三位神仙闻言，都说道："如果大圣打杀了走兽飞禽，只用我们的黍米之丹，还可以救活。可那人参果乃是仙木之根，如何医治？没方，没方。大圣，你还是到别处找找吧！"

悟空听说无方，便纵起祥云离了蓬莱，又来到方丈仙山。悟空正走着，只觉得香风阵阵，仙鹤声声，原来不远处走来了东华大帝君。悟空连忙上前，说出自己的求方之事。帝君答道："我有一粒九转太乙还丹，只能治世间的生灵，却不能医活这天地间的灵根。无方，无方！"

悟空见此处也无方，就辞别了帝君，立即驾云来到瀛洲海岛。只见丹崖珠树之下，有九个童颜鹤发的神仙正在那里下棋饮酒,谈笑欢歌。悟空认出他们乃是瀛洲九老,就把来意说了一遍。九老也大惊道:"你也太能惹祸了!我等也实在是无方啊。"

悟空思来想去,最后请来了观音菩萨。观音菩萨用杨柳枝蘸出瓶中甘露,在悟空的手里画了一道起死回生符,叫他放在树根下。

不一会儿,树根下喷出一汪清泉。观音菩萨把清泉浇在树上,转眼间大树就复活了,枝头的果子也完好无损。

镇元子见果树重生,非常高兴,让童子敲下十个人参果,请大家共同品尝。唐僧师徒也和大仙握手言和。

第二天一早,唐僧师徒告别众人,重新上路了。

观音菩萨救活了人参果树。

| 第十四章 |

孙悟空三打白骨精

一天，师徒四人来到一座叫白虎岭的高山前。众人又累又饿，可是附近没有一户人家。悟空只好腾云驾雾，去远处的南山摘桃给大家吃。

悟空腾起的祥云惊动了山中的妖精。这妖精就是白骨精，她认出了唐僧，想吃他的肉。不过看到唐僧身边有两个徒弟保护，她怕敌不过他们，就变成一个美丽的女子，左手提着青砂罐，右手提着绿瓷瓶，款款走来。她对唐僧说："罐里是香米饭，瓶里是炒面筋，都是我特意给你们做的斋饭。"八戒一听有好吃的，就要抢上去吃。唐僧忙说："八戒，不要随便吃别人的东西，还是等你的师兄

白骨精变成一个
美丽女子来骗唐僧。

摘桃回来吧。"八戒不听，拿起罐子就想动手。这时，悟空回来了，认出这女子是妖精，举棒就打。唐僧赶紧拦住他，说："这女子是给我们送饭的。"悟空不顾阻拦，迎头就是一

悟空一棒打死了白骨精变成的女子。

棒，女子立刻倒地死了。其实妖精用了解尸法，真身化成轻烟飞走了，留下的是假尸首。唐僧责怪地说："你这猴头太过分了，怎么胡乱杀人？"悟空说："师父，你看罐子里是什么东西？"唐僧一看，发现里面全是癞蛤蟆、长尾巴蛆，这才相信悟空的话。八戒没吃上饭，气哼哼地说："这些都是猴哥变的。分明是他打死了人，怕师父念紧箍咒，才编了这些骗师父。"唐僧听了八戒的话，果然念起了紧箍咒，疼得悟空连连求饶。

白骨精没有得手，又变成白发苍苍的老婆婆，拄着拐杖，一边哭一边走了过来。八戒叫道："师父，不好了，一定是那姑娘的妈妈找来了。"悟空说："那女子十八岁，这个婆婆有八十多岁，怎能是母女？肯定是假的，我去看看！"悟空定睛一看，发现她仍是白骨精变的，于是当头又是一棒。白骨精化成轻烟逃走了，将假尸首留在地上。唐僧这次更加生气了，把紧箍咒整整念了二十遍，还要赶走悟空。悟空不愿离开，唐僧只好答应再饶他一次。

白骨精哪里肯轻易放走唐僧呢，这一次，她又变成一位白发老公公，装出一副要找妻子和女儿的样子。悟空一眼认出他还是白骨精变的，就叫出当地的山神和土地神作证，这才一棒子把妖精彻底打死了，老公公转眼变成了一堆骷髅。唐僧吓得战战兢兢，也不听山神和土地神的话，正准备念咒，悟空说："师父，你来看看她的模样！"悟空指着地上的骷髅说："她是一个僵尸妖精，专门在这里害人，你看

悟空把白骨精变
成的老婆婆也打死了。

悟空举棒要打白骨精变成的老公公。

她的脊梁上有一行字，叫'白骨夫人'。"唐僧一看，也就信了。

可是八戒却说："师父，这猴子太过分了，他打死了人，怕你念咒，才故意变出一堆骷髅骗你的。"唐僧又信了八戒的话，马上念起紧箍咒。悟空疼得跪在地上，恳求道："师父，求求你，别念了！"可唐僧说："你居然一连打死三个人，你还是走吧。"悟空伤心地说："师父，你错怪我了。她明明是个妖精，想来害你，老孙帮你除了害，你反倒责怪我！"

唐僧不听，让沙和尚取出纸笔，写下一页贬书，递给悟空，说："你拿着吧！从此以后，我不再是你的师父！"悟空多希望师父能回心转意啊！他给师父连连叩首，可唐僧已经下定决心，转过身来不理他。悟空拔下毫毛，变出三个行者，连同本身从四个方向围住师父下拜。唐僧躲不过去，才受他一拜。悟空见师父心意已绝，只好对沙和尚说："师弟，如果以后再遇到妖精，你就提我齐天大圣的名号，说我是唐僧的大徒弟，他们就不敢伤害师父了。"说完，悟空又看了看唐僧，见师父还是那么绝情，只好向师父最后一拜，这才依依不舍地离开了。

悟空纵起筋斗云，回到花果山，只见山上花草凋谢，山岩倒塌，树木焦枯，心中好不伤感。原来，自从悟空大闹天宫被拿上天庭去后，花果山就被二郎神率领神兵神将放火烧毁了。

悟空正在悲伤时，只见芳草坡前跳出七八个小猴，一拥上前，都围住他叩头，嘴里还高声叫道："大圣爷爷！"

悟空使出分身法，依依不舍地与师父拜别。

悟空这才转忧为喜。

群猴把悟空迎进水帘洞，问道："大圣爷爷，听说你保着唐僧去往西天取经，如今怎么回来了？"

悟空答道："小的们，你们不知道，那唐僧不识贤愚。我一路上几番为他打杀妖精，他却说我行凶作恶，还写下贬书，不要我做徒弟了。"

群猴听了，都安慰悟空道："做和尚有什么好，怎比我们在自家山林里快活！"

悟空回到了花果山，重新当上了美猴王。

悟空大喜，他叫手下做了一面彩花旗，上面写着"重修花果山，复整水帘洞"，然后把旗子挂在洞外。他又去四海龙王那里借了些甘霖仙水，把山也洗青了，还命小猴们在山前山后栽花种树。花果山又恢复了往日的兴盛景象。悟空重新当上了美猴王，好不逍遥。

第十五章

宝象国除妖救师父

唐僧赶走悟空后，三人继续西行。一天，八戒自告奋勇地出去化斋。走了十几里，也没有看到一户人家，他感觉累了，就在路边睡着了。唐僧见八戒还不回来，便让沙和尚去找他，自己则在林中闲走。走着走着，唐僧看见一座宝塔，不禁心下欢喜，信步走了进去。这时，他看见有个黄袍怪睡在石床上，吓得掉头就跑。可是黄袍怪已经发现了他，一下子把他捉住了。

沙和尚找到八戒后，回来发现师父不见了，二人一路找到宝塔，见宝塔上写着"波月洞"。八戒举耙上

唐僧被妖怪捉住了。

公主请求唐僧把家书带给宝象国国王。

前叫门,把黄袍怪激了出来,二人战在一处。

此时,唐僧正在山洞里哭泣呢,这时一个女子走过来说:"我不是妖怪,而是宝象国的三公主,被黄袍怪抢到这里。你帮我给父母捎封信,我就救你出去。"唐僧答应了。于是公主叫回黄袍怪,让他放了唐僧。唐僧师徒来到宝象国,呈上公主的家书。国王读完信后痛哭流涕,请求他们救出公主。于是八戒与沙和尚又来到山洞前,与黄袍怪展开激战。不久,八戒体力不支,掉头逃跑了。沙和尚孤军奋战,很快被黄袍怪抓进了洞。

黄袍怪听说唐僧在宝象国,摇身一变,变成俊男,来到了宝象国皇宫。他对国王说,十三年前,他见一只猛虎驮着个女子,就一箭射倒老虎,救下女子。女子为了报恩,与他成了亲。老虎被他带回家里,不久修炼成精。后来他得知女子是宝象国的公主,见今天是吉日,特来认亲。国王见驸马长得英俊,便放松了警惕。黄袍怪又悄悄地念动咒语,把唐僧变成一只

斑斓猛虎。国王一看吓得魂飞魄散，忙命人把老虎关在铁笼里。唐僧是老虎的消息在宫里传开了，白龙马听到后，决定救出师父。半夜，他看到黄袍怪在殿内喝酒，就变成宫女，想杀死妖怪，可惜没有得手，只好逃了回去。

这时八戒回来了，可他到处都找不到师父和沙和尚。突然，白龙马开口说话了，说完事情的经过，又劝八戒赶紧把悟空找回来。八戒来到花果山，找到悟空后，说出师父被捉的事情。悟空立即和八戒赶到波月洞，只见黄袍怪的两个儿子正在外面玩，就抓住他们。悟空又劝公主配合降妖，公主同意了。

按照悟空的安排，八戒和沙和尚带着妖怪的两个儿子，来到宝象国上空。黄袍怪看见空中的孩子似乎是自己的，急忙赶回洞里找公主核实。悟空假扮成公主正在痛哭，说孩子被捉走了，自己的心都哭痛了。黄袍怪忙拿出自己的宝物——舍利子丹给她止痛。悟空拿到宝物后，立刻现出原形，与黄袍怪打成一团。两人大战五六十回合，不分胜负。这时，悟空运足力气，往妖怪的头上使劲儿打去。可妖怪突然往空中一跳，转眼不见了。悟空心想："这妖怪功力不凡，一定是天上的妖神。"他来到南天门查询，发现二十八星宿中少了奎星。玉帝得知后，命二十七星宿收奎星上界。悟空见玉帝已经收降奎星，就回到波月洞，救出了公主。

悟空把公主带回宝象国，看到变成老虎的师父，不禁百感交集。他念动咒语，把一口水喷到老虎的身上，唐僧立刻恢复了原形。听了沙和尚的讲述，唐僧连忙感谢悟空。悟空笑着说："师父，只要你不念紧箍咒，我就满足了。"于是师徒四人和好如初。

第二天，师徒四人辞别了国王等人，继续向西赶路了。

悟空运足力气，往妖怪的头上使劲儿打去。

第十六章

火云洞力战红孩儿

唐僧师徒走了半个月，来到一座陡峭的高山前。忽然，他们看到一朵红云直冲云霄，悟空三人连忙保护师父。

红云里果然有个妖精。

这妖精早就想吃唐僧肉，看

妖精把自己捆绑起来，想骗唐僧救他。

见唐僧被三个徒弟保护着，就想出个主意。师徒四人没走多久，突然听到前面有人喊"救命"。他们走过去，看见有个七岁大的小孩儿，正光着身子，被高高地吊在大树上。唐僧见了，想去救他。悟空知道这小孩儿是个妖精，赶紧阻拦，可唐僧不信他的话。唐僧问："孩子，你怎么在这里？"小孩儿说："我家来了强盗，父母被害了，我被吊到这里，请师父救命。"他被放下之后，悟空抢先背起了他，故意慢吞吞地走在师父后面。

妖精使出重身法，变出千斤重的假身来压住悟空，真身却跳到空中。悟空把假身往路旁的石头上摔去，将假身摔得粉碎。

妖精见悟空不好对付，就吹出一阵旋风，把唐僧卷走了。悟空追出几十里地，也不见妖精的踪影，忙向土地神和山神询问。众神说："这妖精叫红孩儿，是牛魔王的儿子，住在枯松涧边的火云洞，他神通广大，还炼成了三昧真火。"悟空一听乐了，原

妖精弄了阵狂风，摄走了唐僧。

来牛魔王曾与他结拜为兄弟,论起辈分,红孩儿还得管他叫叔叔呢。

没多久,三人就找到了火云洞。谁知红孩儿不认悟空这个叔叔。他看到悟空后,就往鼻子上捶了两拳,念起咒语,整个火云洞顿时腾起烈焰。悟空和八戒抵挡不过,只好败下阵来。悟空找来四海龙王帮忙。可是,倾盆大雨也无法浇灭三昧真火。突然,红孩儿喷出一口烟,悟空被熏得泪如雨下,落败而逃。悟空跳到涧水里,昏死过去了。八戒找到悟空后,用按摩禅法救醒了他。这时,护法伽蓝及时出现,变成一位老者,治好了悟空的眼睛。随后,悟空让八戒去找菩萨帮忙。

护法伽蓝变成一位老者,治好了悟空的眼睛。

红孩儿想到悟空会去请救兵，他跳到空中，见八戒正往南去，立刻明白了。他变成假观音，把八戒骗进火云洞，绑了起来。悟空见八戒久久不回，就变成苍蝇飞进火云洞打探，看见他果

悟空变成的牛魔王引起了红孩儿的怀疑。

然被抓住了。这时，悟空听到红孩儿叫来小妖，让他们请牛魔王来吃唐僧肉。悟空听后，就变成牛魔王的样子等在小妖必经的路上，假装被小妖请进火云洞。红孩儿兴高采烈地要与父王分吃唐僧肉，可悟空却找借口说不吃。红孩儿心生狐疑，故意问起自己的生日。悟空回答不出，露出了马脚，只好驾云跑了，去找观音菩萨帮忙。

菩萨用杨柳枝蘸取甘露，在他的手上写下"迷"字，又对他叮嘱一番。悟空一手攥紧拳头，一手拿着

金箍棒，又来向红孩儿索战。打了几个回合，悟空把拳头松开，红孩儿一下子迷乱心神，和悟空来到菩萨面前。悟空藏进菩萨的神光里，红孩儿找不到悟空，就问菩萨："你是悟空请来的救兵吗？"见菩萨没理他，红孩儿举枪就刺。菩萨丢下宝莲台，腾云飞上半空。红孩儿看到宝莲台，开心地学着菩萨的样子坐了上去。

这时，菩萨拿着杨柳枝，说声"退"，只见莲台上的花瓣马上变成锋利的刀锋，把红孩儿刺得皮开肉绽。红孩儿根本拔不动这些刀锋，连声求菩萨饶命，说他愿意皈依佛门。菩萨又说声"退"，那些刀锋马上不见了，红孩儿身上的伤也好了。红孩儿恶性难改，又拿枪向菩萨刺来。这时菩萨扔出五个金箍，一个套在他的头上，两个套在手上，两个套在脚上。菩萨念起紧箍咒，红孩儿疼得满地打滚儿。红孩儿只好叩头下拜，菩萨就收他当善财童子，返回了南海。

悟空找到沙和尚，二人杀回火云洞，救出师父和八戒，一行四人又往西方出发了。

菩萨收服了红孩儿。

第十七章

通天河金鱼精捣怪

春去秋来,这一日,师徒四人来到一条河边。河水滔滔作响,深不可测。河边立着一块石碑,上面刻着三个大字"通天河"。旁边还有一行小字"径过八百里,亘古少人行"。唐僧师徒不知怎么过河,见天色已晚,就找到一户人家准备借宿。有个老人把他们迎进屋里。唐僧见老人唉声叹气,便问他有什么难处。老人告诉了他。原来通天河岸边有座灵感大王庙,庙里的大王每年要吃一对童男童女,否则就让村里降祸生灾。这一年轮到他家祭祀了,老人没办法,只好准备将一对儿女交出去。

悟空说:"我替你的孩子去死,看那妖怪敢

唐僧来到通天河边,看到滔滔河水,发起愁来。

不敢吃我！"说完他便让老人把两个孩子抱出来看看。老人不知道悟空要干什么，但他还是回屋带出了两个孩子。悟空看到他们后，摇身一变，就变成男孩的模样，又让八戒变成女孩。这时，祭祀的时间已经到了，外面有人高声喊叫，让他家赶紧抬出童男童女。于是，悟空和八戒坐在盘子里，让老人把他们送进灵感大王庙。

没多久，妖怪进来了，伸手就要抓女孩。八戒跳下桌子变回本相，手举耙落，筑破了妖怪的甲。妖怪见势不妙，化成一阵狂风，钻进通天河。悟空说："这妖怪原来是河中之物。咱们先回去告诉师父，明天再来捉他吧。"

悟空和八戒变成童男童女，等着妖怪出现。

却说妖怪逃回府里，闷闷不乐，虾兵蟹将问清楚原因，斑衣鳜鱼婆上前说："大王能呼风唤雨，不如今晚降下大雪，让河水结冰。等唐僧他们过河时，就捉住他们。"妖怪听后大喜，立刻兴风作雪。大雪整整下了一夜。

第二天一早，唐僧师徒被冻醒了，

八戒一钉耙筑破了妖怪的甲。

看见外面的积雪有两尺多深。唐僧着急赶路，便派八戒去通天河，看河面有没有冻成冰。八戒在河面上试了试，发现河水冻得很结实，赶紧回来告诉师父。于是他们辞别老人，直奔通天河。

四人正在河面上走着，忽听脚下咔嚓一声响，就见河面裂了个大窟窿。此时，妖怪已率众小妖在此等候多时了。等到唐僧师徒走到河中间，他们便弄个神通，忽地将冰层逬开，唐僧师徒全都落入水中。妖怪捉住唐僧，把他带回水府，准备和斑衣鳜鱼婆一起来吃唐僧肉。

悟空在半空中看见师父被捉，连忙下水去救师父。

他走了百余里，看见前面有座楼台，上写"水鼋之家"四个字。悟空变成长脚虾婆，三跳两跳跳进门里，听见妖怪正与斑衣鳜鱼婆商量吃唐僧肉呢。悟空回到岸边，向师弟们说了里面的情况。八戒和沙和尚水性好，就下水去引妖怪出来。他们闯到水府门前，高声叫道："死妖怪，快还我师父。"妖怪知道唐僧的徒弟来了，拿起铜锤出来迎战。三人在水下打了两个时辰，八戒见不能取胜，就诈败逃

等唐僧师徒走到河中间，妖怪便弄个神通，将冰层进裂。

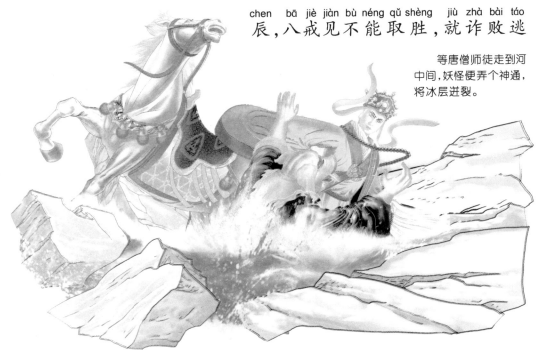

走，妖怪紧追不舍。悟空看到妖怪露出水面，举棒就打，妖怪急忙拿着铜锤招架。他们一个在河边涌浪，一个在岸上施威。不到三个回合，妖怪招架不住，转身钻到水里，再也不敢出来了。悟空让八戒、沙和尚守在河边，自己去南海请观音菩萨帮忙。

悟空来到南海后，众神让他先在翠岩休息，说菩萨知道他要来，早上就去了紫竹林。悟空等了很久，始终未见菩萨过来，便不顾阻拦闯进紫竹林，却看到菩萨正不紧不慢地削着竹皮。悟空急忙说明来意，可是菩萨只让他在外面等候。悟空无奈，只好继续等下去。不多时，菩萨提着竹篮出来了，说："悟空，我们去救你师父吧。"

二人腾空而去，顷刻间就来到通天河。菩萨解下束袄的丝绦，拴

八戒和沙和尚在水下大战妖怪。

妖怪原来是莲花池里的金鱼。

住篮子，把它抛向河中。然后，菩萨踏着云头，拉着丝绦，将沉入河中的篮子慢慢往上拉，口中念道："死的去，活的住！死的去，活的住！"念完咒语，菩萨提起篮子，只见篮子里有尾亮闪闪的金鱼。八戒走上前，问道："菩萨，妖怪呢？"菩萨指了指篮子里的金鱼，笑着说："这不就是嘛。"悟空接过话头，说："原来是它作怪。菩萨，您是怎么知道的呢？"于是，菩萨详细地说出了事情的前后经过。原来妖怪是莲花池里养大的金鱼，因每天都能听到经文，便修炼成精。菩萨算出金鱼精在通天河捣怪，这才编起竹篮，用竹篮收服了他。

悟空三人连忙救出师父，又准备上路了。村里的人都出来相送，感谢他们的救命之恩。

第十八章
女儿国师徒奇遇记

冬去春来，师徒四人走到一条河边。唐僧见河水清澈，就让八戒舀碗水给他喝。唐僧喝了几口后，剩下的水全都被八戒喝光了。

很快，二人的肚子开始疼起来，而且越来越大，肚子里好像长出了什么东西。

悟空连忙找到附近的村庄，向一位老婆婆讨些热汤喝。老婆婆听说唐僧他们喝了河水，忍不住笑了起来，说："这里是西梁女儿国，只有女人，没有男人。这里的女人到了二十岁以后，才能喝河里的水，喝完就能生孩子了。"唐僧和八戒吓得大惊失色，急得直跺脚，说："这可怎么办呀？"老婆婆说："别害怕，只要喝下村南解阳山落胎泉的泉水，很快就没事了。"

八戒的肚子渐渐大了，疼得直冒汗。

wù kōng lái dào jiě yáng shān xiàng jù xiān ān ān zhǔ rú yì zhēn
悟空来到解阳山，向聚仙庵庵主如意真

xiān shuō míng lái yì zhēn xiān yì tīng lái
仙说明来意。真仙一听来

zhě shì sūn wù kōng lì jí ná chū
者是孙悟空，立即拿出

yì bǎ rú yì gōu mà dào pō
一把如意钩骂道："泼

hú sūn wǒ zhèng xiǎng zhǎo
猢狲，我正想找

nǐ bào chóu nǐ què sòng shàng
你报仇，你却送上

mén lái le yuán lái tā shì
门来了。"原来他是

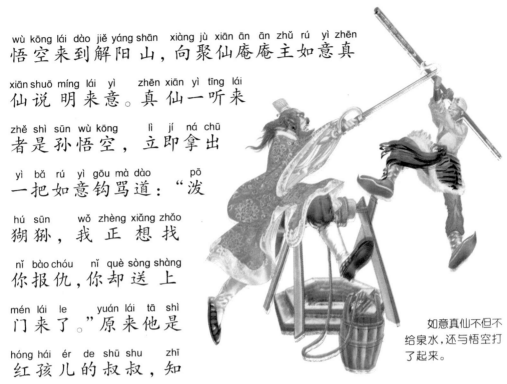

如意真仙不但不
给泉水，还与悟空打
了起来。

hóng hái ér de shū shu zhī
红孩儿的叔叔，知

dào hóng hái ér bèi shōu zuò tóng zǐ hòu zhèng xiǎng qù zhǎo wù kōng bào chóu xuě hèn
道红孩儿被收做童子后，正想去找悟空报仇雪恨。

èr rén hěn kuài dǎ le qǐ lai méi dǎ jǐ gè huí hé rú yì zhēn xiān jiù bài xià zhèn
二人很快打了起来，没打几个回合，如意真仙就败下阵

lai táo zǒu le děng wù kōng zhǔn bèi qǔ quán shuǐ shí tā yòu chōng le guò lai
来逃走了。等悟空准备取泉水时，他又冲了过来。

wù kōng xīn xiǎng bú ràng wǒ dǎ shuǐ wǒ jiù lái gè diào hǔ lí shān zhī jì
悟空心想："不让我打水，我就来个调虎离山之计！"

tā zhǎo lái shā hé shang dāng bāng shǒu rán hòu yǐn zǒu zhēn xiān jiàn èr rén zài yuǎn
他找来沙和尚当帮手，然后引走真仙。见二人在远

chù dǎ dòu shā hé shang chèn jǐ qǔ dào le quán shuǐ táng sēng hé bā jiè hē guò
处打斗，沙和尚趁机取到了泉水。唐僧和八戒喝过

quán shuǐ hòu dù zi hěn kuài jiù hǎo le
泉水后，肚子很快就好了。

táng sēng shī tú lí kāi cūn zhuāng hòu lái dào nǚ ér guó tā men dào chéng nèi
唐僧师徒离开村庄后，来到女儿国。他们到城内

yí kàn fā xiàn zhè lǐ guǒ rán dōu shì nǚ zǐ sì rén fèi lì de chuān guò wéi
一看，发现这里果然都是女子。四人费力地穿过围

观的人群，来到驿馆，向驿丞说明来意。驿丞把此事禀报给女王。女王听到后，满心欢喜地说："原来是唐朝的御弟来了。如果我招御弟为丈夫，岂不是一桩喜事？"于是女王命太师为媒，由驿丞主婚，去向唐僧求亲。

唐僧听说女王要提亲，说什么也不同意。悟空却替师父答应下来。太师走后，唐僧直埋怨悟空，悟空说："师父，如果你不答应，女王就不给我们换关文，我们就走不了啊。"唐僧觉得悟空的话有道理，便同意依计行事。

没过多久，女王亲自来迎接唐僧，要和他回宫举行成亲仪式。悟空三人也跟着进了宫。女王大摆宴席。席间，唐僧说："请陛下尽快倒换关文

女儿国的太师向唐僧提亲，唐僧坚决不同意。

吧，趁天色还早，我好送他们出城。"女王立刻给关文盖上大印。唐僧见时机成熟，就邀请女王一同送徒弟们出城。女王不知是计，与唐僧一起登上龙车。

一行数人出了城门后，唐僧说："陛下请回吧，我们师徒与你就此告别了。"女王听了，顿时大惊失色，追问缘由。

这时，路边忽然闪出一个女子。她掀起一阵旋风，把唐僧刮走了。悟空三人连忙跳上云端，随旋风追到毒敌山的一个山洞。悟空变成蜜蜂钻进洞里，看见女妖正逼着师父成亲。悟空赶紧现出真身，举棒向女妖打去。女妖举着钢叉迎了上来，二人打出洞外。八戒和沙和尚见了，连忙上前助阵。

唐僧向女王告辞，女王觉得很奇怪。

女妖打不过三人，就使出倒马毒桩的招数，在悟空的头上扎了一下，疼得悟空败阵而逃。悟空三人决定在山坡下休息一晚，明日再战。

女妖很厉害，悟空中了她的毒招。

第二天，八戒自告奋勇地找女妖挑战。不多时，女妖又用同样的方法，在八戒的嘴唇上扎了一下，疼得八戒捂着嘴逃走了。兄弟三人不知如何是好，这时观音菩萨来了，菩萨告诉他们："要想降妖，就得去请昴日星官。"

悟空找到了昴日星官，说明来意。昴日星官马上随他来到女儿国，往悟空和八戒的伤处吹口仙气，二人的伤立刻好了。

悟空和八戒来引女妖出洞，他们用力地凿开洞门。妖怪大怒，马上出来迎战。悟空和八戒把她引到石屏山后，昂日星官现出本相，原来是只六尺高的双冠大公鸡。

公鸡昂首向女妖叫了一声，女妖立刻现了原形，原来是只琵琶大小的蝎子。公鸡再叫一声，那蝎子就一命呜呼了。昂日星官收了法身，驾云而去。悟空兄弟三人朝天拱手谢道："有劳有劳！改日拜谢。"

谢过昂日星官，悟空兄弟三人又赶到毒敌山的洞中，救出了师父。师徒四人重整行装，又继续西行了。

女妖现出原形，原来是一只蝎子。

| 第十九章 |

真假美猴王大斗法

这一日，师徒四人在山里行走，天快黑了，却不见一户人家。悟空嫌白马走得太慢，就大喝一声，吓得白马飞奔而去。唐僧收不住缰绳，很快把悟空三人抛在身后。

这时，路边忽然闯出一伙强盗，拦住了唐

悟空在向观世音菩萨哭诉。

僧，要抢他的白马。唐僧没有办法，只好说："我的徒弟有银子，他们随后就到。"很快，悟空赶了过来，打死了强盗头子，吓得其他强盗四散逃跑。唐僧见悟空打死了人，生气地把他教训了一顿。

四人继续赶路，终于看见一座庄院。他们向主人借宿，一对老夫妇招待了他们。半夜，老公公的儿子

悟空霎时变了脸，要打唐僧。

dài zhe yì huǒ qiáng dào huí lai le
带着一伙强盗回来了，

tā men zhèng shì qiǎng jié táng sēng de
他们正是抢劫唐僧的

nà huǒ rén kàn dào mén kǒu shuān
那伙人。看到门口拴

zhe de bái mǎ tā men zhī dào táng
着的白马，他们知道唐

sēng shī tú zhù zài zhè lǐ yú shì
僧师徒住在这里，于是

mó dāo cā qiāng yào wèi sǐ qù de
磨刀擦枪，要为死去的

tóng huǒ bào chóu lǎo gōng gong kàn
同伙报仇。老公公看

dào hòu qiāo qiāo de jiào táng sēng
到后，悄悄地叫唐僧

shī tú cóng hòu mén táo zǒu le méi xiǎng dào qiáng dào men zhuī le shàng lai wù kōng
师徒从后门逃走了。没想到强盗们追了上来，悟空

bǎ qiáng dào men dǎ de sǐ de sǐ shāng de shāng táng sēng jiàn wù kōng shā le zhè
把强盗们打得死的死，伤的伤。唐僧见悟空杀了这

me duō rén jiù bǎ wù kōng gǎn zǒu le wù kōng lái dào nán hǎi xī wàng pú
么多人，就把悟空赶走了。悟空来到南海，希望菩

sà bāng máng qiú qíng pú sà què shuō nǐ de shī fu mǎ shàng huì yǒu wēi xiǎn
萨帮忙求情。菩萨却说："你的师父马上会有危险，

nǐ xiān liú zài zhè lǐ ba
你先留在这里吧。"

táng sēng gǎn zǒu wù kōng hòu ràng bā jiè chū qù huà zhāi děng le hěn jiǔ
唐僧赶走悟空后，让八戒出去化斋。等了很久，

yě bú jiàn bā jiè huí lai zhǐ hǎo pài shā hé shang qù kàn kan táng sēng zhèng dú
也不见八戒回来，只好派沙和尚去看看。唐僧正独

zì zuò zhe hū rán kàn dào wù kōng lái le wù kōng pěng zhe cí bēi guì zài lù
自坐着，忽然看到悟空来了。悟空捧着瓷杯跪在路

páng ràng shī fu hē shuǐ táng sēng shēng qì de shuō jiù suàn kě sǐ wǒ yě
旁，让师父喝水。唐僧生气地说："就算渴死，我也

不喝你的水。"没想到悟空霎时变了脸，摔掉瓷杯，抢棒朝唐僧狠狠地打了一下。唐僧顿时昏了过去，悟空马上背起包袱离开了。

八戒和沙和尚回来后，看到师父昏倒在地，连忙救醒了他。唐僧醒来后，讲了事情的经过，气得八戒和沙和尚直骂悟空，沙和尚决定去找悟空要回包袱。

他来到花果山，看到悟空正在念通关文牒，便好奇地问："你念文牒干什么？"悟空说："我念熟了文牒，就去西天取经。我已经另选了有道的高僧。"说完，他请出一个唐僧、一个八戒和一个沙和尚。

真沙和尚一看，勃然大怒，举杖打死了假沙和尚，原来是一只猴精。沙和尚准备找观音菩萨说理去。

他来到南海，看

沙和尚见了假沙和尚勃然大怒，准备上前打死他。

见悟空正站在菩萨身边，上前抡杖就打。菩萨忙询问原因，沙和尚就把事情的前因后果说了一遍。菩萨说："悟空在这儿待了四天，从未离开过，怎么会请另一个唐僧去取经呢？"于是，菩萨带着悟空、沙和尚一起去看个究竟。

三人来到花果山，果然看见还有一个悟空坐在石台上。悟空大怒，骂道："哪里来的妖精，竟敢变成我的模样行骗！"那个猴王也不说话，拿起金箍棒就打了过来。两人打得不分胜负，只好请菩萨来辨别真假。菩萨看了很久，却辨不出真假，就念起紧箍咒。可是，两个悟空都嚷着头疼。随后，二人又闹到南天门，惊得玉帝忙传进两个悟空。玉帝命托塔李天王取出照妖镜，可是镜中的悟空丝毫未变。最后，他们来到如来佛祖面前。如来佛祖

一真一假两个猴王打起来了。

只看了一眼，就笑着说："假悟空是六耳猕猴。"假悟空见如来佛祖识破他的真相，急忙变成蜜蜂想逃跑。如来佛祖抛出金钵把他罩住了，只见金钵里果然有只六耳猕猴。悟空忍不住一棒打死了他。

如来佛祖让假悟空现出原形，原来是一只六耳猕猴。

观音菩萨带着悟空回到唐僧身边，说："当时打你的是假悟空，本是一只六耳猕猴，你就别责怪悟空了！"唐僧忙跪下叩头，连声答应。这时，忽见东方狂风滚滚，只见猪八戒背着包袱回来了。原来他刚去了花果山，打死了假唐僧和假八戒，找到了包袱。师徒四人谢过观音菩萨，又踏上西行之路。

第二十章

火焰山三借芭蕉扇

转眼到了秋霜时分，师徒四人正往前走，却觉得越往前走越热。悟空找到当地人询问，才得知前方六十里外有座火焰山。火焰蔓延八百里，要想过山，只有找到一位铁扇仙借到芭蕉扇才行，否则就算铜脑铁身也会熔化成汁。于是悟空急忙赶往铁扇仙居住的翠云山。

半路上，悟空碰到一位樵夫，打听得知，原来铁扇仙就是牛魔王的妻子、红孩儿的母亲——铁扇公主。悟空大惊失色，心想："糟了！上回找红孩儿的叔叔借些水都不肯，这次要找他的母亲借扇子，恐怕更难！"然而别无他法，悟空只好硬

铁扇公主和悟空动上了手。

悟空用扇子扇不灭火焰山的火，才知道上当了。

着头皮来到芭蕉洞。

果然，铁扇公主一听是孙悟空来借扇，马上拿着宝剑冲了出来，想杀他解恨。两人打了几个回合，铁扇公主自知打不过悟空，就取出芭蕉扇扇了一下，把悟空扇得无影无踪了。悟空飘飘荡荡地晃了一夜，才落在一座高山上。原来他被扇到了小须弥山。悟空心想："这芭蕉扇太厉害了！我还是先问问山里的灵吉菩萨，请教一下对策吧。"灵吉菩萨知道详情后，送给悟空一粒"定风丹"，说有了它，铁扇公主就扇不动他了。

悟空又来到芭蕉洞。铁扇公主听说他又来了，气得咬牙切齿，心想："这次我要多扇三扇，让他连回来的路都找不到！"她取出芭蕉扇，用力地扇了好几

悟空变成牛魔王，骗到了芭蕉扇。

下，可悟空却丝毫不动。

铁扇公主慌了，吓得转身回到洞里。悟空变成小飞虫跟了进去，见铁扇公主正在喝茶，就飞到茶沫之下，随着茶水流到铁扇公主的肚子里。悟空现出原形，在她腹中乱蹬乱跳，大喊："快把扇子借给我用！"铁扇公主疼得满地打滚儿，连忙说："我借，孙叔叔快饶命吧！"她马上交出了芭蕉扇。

不料这扇子是假的。悟空来到火焰山后，用力地扇了起来，火势却越扇越旺，足有千尺高。

这时，火焰山的土地神走过来，说："想借到真扇子，得去找牛魔王才行。他现在住在积雷山摩云洞。"

悟空火速找到了牛魔王，谁知牛魔王也记仇呢。他撇开悟空，跨上辟水金睛兽走了。悟空尾随着牛魔王，趁他不注意，偷走金睛兽，又变成牛魔王的样子，来到芭蕉洞。铁扇公主设宴款待假牛魔王，趁着酒酣耳热，悟空骗到了真的芭蕉扇，并学会了将扇子变大的口诀，然后偷偷溜走了。

孙悟空大战牛魔王。

牛魔王发现金睛兽不见了，料定是悟空偷的，便立即赶到芭蕉洞，寻找悟空。铁扇公主气得捶胸顿足，说："孙悟空骗了我，他装成你的样子骗走了芭蕉扇！"牛魔王听后，立刻去追赶悟空。他见悟空扛着扇子在前面走着，就变成八戒的模样，上前帮他扛扇子。悟空正在得意，没有防备，就把扇子交给了假八戒。牛魔王拿到扇子，马上现出原身。悟空后悔不已，赶紧上前去抢。

两人正打得不可开交，八戒

赶过来了。牛魔王自知不是两人的对手，就变成香獐，想溜之大吉。悟空马上变成饿虎，要来咬香獐。牛魔王又变成黑熊，扑了过来。悟空随即变成大象，抬脚就踩。牛魔王无奈，现出原形，就见一头大白牛朝悟空冲了过来。悟空毫不畏惧，冲上去迎战。两人的打斗声引来了托塔李天王、哪吒三太子和天兵天将。天兵天将先把牛魔王围困起来，接着，哪吒化身三头六臂，又将火轮挂在牛角上，用真火把牛魔王烧得叫苦不迭。最后，托塔李天王用照妖镜照得牛魔王无计逃生，牛魔王只好交出了芭蕉扇。

牛魔王化身白牛顶向悟空。

哪吒化身三头六臂，大战牛魔王。

wù kōng ná dào bā jiāo shàn　　àn tiě shàn gōng zhǔ suǒ shuō de　　shān le zú zú
悟空拿到芭蕉扇，按铁扇公主所说的，扇了足足

sì shí jiǔ shàn　　chè dǐ duàn jué le huǒ yàn shān de huǒ gēn　　zhè cái gǎn dào qīng liáng
四十九扇，彻底断绝了火焰山的火根，这才感到清凉

wú bǐ　　liáng fēng xí xí　　miè le dà huǒ　　wù kōng bǎ bǎo shàn huán gěi tiě shàn gōng
无比，凉风习习。灭了大火，悟空把宝扇还给铁扇公

zhǔ　　tiě shàn gōng zhǔ jiē guò shàn zi　　niàn gè zhòu yǔ　　bǎ shàn zi biàn chéng xìng yè
主。铁扇公主接过扇子，念个咒语，把扇子变成杏叶

dà xiǎo　　hán zài kǒu zhōng　　tā biǎo shì　　zì jǐ yǐ hòu yí dìng kǔ xīn xiū xíng
大小，含在口中。她表示，自己以后一定苦心修行。

dì èr tiān　　táng sēng shī tú shōu shi hǎo xíng li zhǔn bèi shàng lù　　tiě
第二天，唐僧师徒收拾好行李准备上路，铁

shàn gōng zhǔ hé běn dì de tǔ dì shén dōu lái sòng xíng　　jiù zhè yàng　　shī tú sì
扇公主和本地的土地神都来送行。就这样，师徒四

rén yòu shàng lù le
人又上路了。

第二十一章

狮驼洞大战三魔头

师徒四人继续赶路，走了不久，就见一座高耸入云的大山挡住去路。山坡上站着一个白胡子老头，他告诉唐僧师徒说："这里是八百里狮驼岭，中间有个狮驼洞，洞里有三个妖精，手下有四万八千个小妖。"悟空听说后，一个筋斗翻到最高处，看到几个小妖扛着令旗，正在山里巡逻呢。

悟空立刻变成小妖的头目，向他了解情况，小妖忙说："山洞里有三个魔王，一直想吃唐僧肉。他们神通广大，大魔王一口能吞下十万天兵，二魔王一鼻子能把人打成粉末，三魔王行动时惊天动地。他们还有一个宝贝，叫'阴阳二气瓶'。如果人被装进去，很快就会化成浆水。"

悟空奉师父之命，向白胡子老头问路。

悟空变身成小妖的头目，向小妖们了解三个魔头的详情。

听完小妖的话，悟空一棒子打死了他们，变成其中一个小妖的模样钻进了山洞。悟空听说魔王们知道自己会变苍蝇，就拔下一根毫毛，变了一只苍蝇。

大魔王看到了苍蝇，忙说："不好了，孙悟空来了。"大家吓得纷纷去打苍蝇。悟空看到后，忍不住笑了起来，现出了本相。三魔王看见了，说："他才是孙悟空！"于是他们一起捉住了悟空，把他装进阴阳二气瓶里。

在宝瓶中，几条火龙一见到悟空，立刻就缠了过来。悟空毫不畏惧，捻着避火诀，一顿棍棒就打死了它们。悟空又拔下一根毫毛，变成一个金刚钻，转眼就在瓶底钻了个小孔，然后他变成小飞虫飞了出去。悟空来到洞外，现出本相，叫道："泼妖怪，快还我师父！"大魔王举着钢刀冲了出来，可是怎么也砍不死悟空，于是他张开血盆大口，把悟空吞到肚子里。

谁知悟空是吃不得的，只见他在大魔王的肚子里打秋千，竖蜻蜓，翻跟头，把大魔王折磨得疼痛难忍，连忙

在宝瓶中,悟空
与火龙展开大战。

说:"孙外公,我不该吞你,快饶命吧,我抬轿送你师父过山。"悟空又怕大魔王耍花招,就在他的脏腑上系了根绳子,从他的鼻孔跳了出来。悟空一路拽着绳子,跑出了洞府。大魔王被绳子扯得心肺俱痛,只得乖乖地投降,悟空这才放了他。

大魔王回洞准备轿子,二魔王却不服气,带着三千小妖来找悟空搏斗。八戒跑过来助阵,可七八个进合后,他斗不过二魔王,被二魔王一鼻子卷回洞里。

进洞后,二魔王将八戒捆了起来。悟空变成小飞虫跟了进去,很快帮八戒解开绳索,二人一路杀出洞外。二魔王见状又率兵出洞,用鼻子卷住了悟空。

悟空把金箍棒变得又细又长,使劲儿捅他的鼻孔。二魔王疼得连忙放下悟空，只好认输了。

三个魔王抬着轿子，送唐僧过山。半路上，三魔王突然现出本相，变成一只大鹏，把悟空抓回洞里。大魔王和二魔王见状，便命小妖们飞快地把唐僧抬回了山洞。然后，大魔王和二魔王各拿兵器，向八戒和沙和尚打来。很快，大魔王擒住了沙和尚，二魔王又捉走了八戒。原来，三魔王还不服气，这一切都是三魔王定的诈降计。

魔王们让小妖烧火，准备清蒸唐僧师徒。悟空

悟空降伏了大魔。

连忙变成小飞虫,飞了出去,然后请来北海龙王 往锅底吹冷气。一个时辰后,悟空使出隐身法,把瞌睡虫放在烧火的小妖脸上,小妖很快睡着了。悟空救出师父和师弟后,四人匆忙上路了。可是没走多远,魔王们就发现了,又把唐僧、八戒和沙和尚 捉了回去,却没有捉到悟空。于是魔王们让众妖放出传言,说唐僧被吃掉了,想让悟空赶紧离开。悟空听到这

二魔捉走了八戒。

个消息后,忍不住痛哭起来,见不能取经了,他就去找如来佛祖,想取下金箍。如来佛祖听后,微笑着说:"你的师父没有被魔王吃掉,我与你一同去降妖。"原来大魔王、二魔王分别是文殊菩萨、普贤菩萨的坐骑,三魔王则和如来佛祖颇有渊源。原来,自古以来飞禽以凤

三魔化身大鹏，捉走了悟空。

huáng wéi shǒu lǐng，fèng huáng yòu shēng xià le kǒng què hé dà péng。kǒng què chū shì
凰为首领，凤凰又生下了孔雀和大鹏。孔雀出世

zhī shí zuì shì xiōng è，néng shǐ fēng chī rén。rú lái zài xuě shān dǐng shang xiū chéng
之时最是凶恶，能使风吃人。如来在雪山顶上修成

zhàng liù jīn shēn，què bèi kǒng què xī xià dù qù。rú lái zhǐ dé pōu kāi kǒng què
丈六金身，却被孔雀吸下肚去。如来只得剖开孔雀

de jǐ bèi，kuà shàng le líng shān。hòu lái，rú lái fēng kǒng què zuò le fó mǔ
的脊背，跨上了灵山。后来，如来封孔雀做了佛母

kǒng què dà míng wáng pú sà。wù kōng tīng le，xiào dào：“rú lái，zhào zhè bān
孔雀大明王菩萨。悟空听了，笑道：“如来，照这般

shuō qǐ，nǐ hái shì nà yāo jing de wài sheng li。”rú lái shuō dào：“zhǐ yǒu wǒ
说起，你还是那妖精的外甥哩。”如来说道：“只有我

qù，fāng kě shōu de nà yāo guài。”
去，方可收得那妖怪。”

wù kōng gēn suí rú lái fó zǔ、wén shū pú sà hé pǔ xián pú sà lái dào shī
悟空跟随如来佛祖、文殊菩萨和普贤菩萨来到狮

tuó dòng，wù kōng zhàn zài dòng mén shàng kōng，gāo shēng mà dào：“pō niè chù，kuài
驼洞，悟空站在洞门上空，高声骂道：“泼孽畜，快

chū lai sòng sǐ！”sān gè mó wáng jiàn wù kōng yòu lái le，biàn gè ná bīng qì chū
出来送死！”三个魔王见悟空又来了，便各拿兵器出

lai yíng zhàn
来迎战。

大魔王和二魔王发现文殊菩萨和普贤菩萨都站在云端里，只好现出原形，原来他们分别是青狮和白象。

只有三魔王不服，飞身要捉悟空。悟空一闪身，藏在了如来的金光里。如来在头上变出鲜红的一块肉，作为诱饵。三魔王抡起利爪来抓，只见如来用手往上一指，三魔王就飞不动了，只好停在佛顶上现出了本相，原来是一只大鹏金翅雕。大鹏无法脱身，没奈何，只得皈依了佛门。

悟空谢过佛祖后，进洞消灭了小妖们，救出唐僧和两个师弟。师徒四人很快又出发了。

如来佛祖收降了大鹏金翅雕。

第二十二章

比丘国善心救孩童

这一日,师徒四人来到一个繁华的地方,看到城墙下坐着一位老公公,便上前问路。老公公说:"这里原来叫比丘国,现在改了名字叫小子城。"唐僧师徒听了,觉得这个名字很奇怪,可老公公却不敢说改名的原因。

唐僧师徒看着鹅笼,觉得非常奇怪。

这里每户人家的门前都放着一个鹅笼,还用五彩绸缎罩着。悟空觉得奇怪,就变成蜜蜂上前查看,发现每个鹅笼里装的都是小男孩。悟空恢复原形,回来告诉了师父。一会儿,师徒来到驿馆,唐僧向驿丞连连追问鹅笼的事,这才知道事情的真相。原来,三年前这里来了一个老道,把一个芳龄十六岁的少女进献给了国王。国王非常喜欢她，就把老道士封为国丈，把少女封为美后，从此沉迷于女色，身体越来越差。于是，老道士向国王推荐了一道秘方，用一千一百一十一个小男孩的心肝作为药引子，煎汤服药后就能延寿千年。鹅笼里的小男孩就是被选去做药引子的。唐僧听到后，非常伤心，就让悟空想办法救这些孩子。悟空念动真言，叫来一群神仙，让他们把孩子带到城外的树林里藏了起来。

第二天，悟空变成小虫，落在唐僧的帽子上，随他进宫倒换关文。国丈一上殿，悟空一眼认出他是个妖精。国丈暗中对国王说："用取经人的心肝做药引子，陛下一定能活一万年。"昏庸的国王立即命人去拿唐僧。悟空听到了，立即现出原形，气愤地说："我们都是一片好心，只有国丈的黑心最适合当药引子！"

国丈认出了悟空，吓得化成一道寒光来到后宫，带着美后一起逃跑了。悟空与八戒一路追到清华洞，

国丈暗中唆使国王取唐僧的心肝当药引子。

才找到这两个妖精。国丈见悟空他们追来了，又化成寒光逃跑了。悟空和八戒紧追不舍，正追着，突然听到仙鹤的鸣叫，抬头一看，原来是南极仙翁来了。南极仙翁说："此怪是我的坐骑，请大圣饶了他吧！"说完，寿星大吼一声，老妖立即现出本相，原来是一只白鹿。八戒又赶到清华洞打死了美后，原来是一只白面狐狸。于是，悟空、八戒与南极仙翁一起牵着白鹿，拖着狐狸，回到了宫中。悟空对国王说："看，这就是你的国丈和美后！"国王见了大惊失色，连忙感谢悟空他们捉住了妖精。南极仙翁临走前送给国王三颗大枣，国王吃下后，顿时觉得身轻病退。

国王与文武百官送唐僧师徒出城门时，忽听半空中一阵风响，只见路两边落下一千一百一十一个鹅笼，里面的孩子都在啼哭。悟空叫他们的父母前来认领，亲人们终于团聚了，纷纷感激唐僧师徒。这时唐僧师徒才放心地踏上了去西天的道路。

寿星大吼一声，老妖立即现出本相，原
来是一头白鹿。

| 第二十三章 |

为救师勇闯无底洞

光阴似箭，转眼又是冬去春来。这天，师徒四人来到一片黑松林，觉得非常饥渴，悟空就纵云去前方化斋。

唐僧坐在林中念着经文，忽听有人高喊"救命"。他连忙起身上前查看，发现前方有个女子被绑在大树上，哭得像

绑在树上的可怜女子，其实是妖精变化的。

个泪人。唐僧没有多想，准备上前去救她。这时悟空还没走远，在空中识破了妖精，回来把师父拦住了。四人走后，妖精施法，连声向唐僧呼救，说："你放着活人不救，昧心拜佛，能取到什么经？"唐僧顿觉惭愧，便回去救下那个女子。这时天色已晚，唐僧决定带那女子一起赶路。几人走了二三十里路，来到镇海

chán lín sì　　jiù liú xià lai jiè sù yì wǎn
禅林寺，就留下来借宿一晚。

　　　　　dì èr tiān　　táng sēng shāng fēng tóu téng　　bù néng zài gǎn lù le　　wǔ gè rén
　　第二天，唐僧伤风头疼，不能再赶路了，五个人

yòu zhù le xià lai　guò le sān sì tiān　wù kōng dào hòu yuàn dǎ shuǐ　kàn dào jǐ gè xiǎo
又住了下来。过了三四天，悟空到后院打水，看到几个小

hé shang zhèng kū kū tí tí　shàng qián pán wèn cái dé zhī　zhè jǐ tiān sì li mò
和尚正哭哭啼啼，上前盘问才得知，这几天寺里莫

míng qí miào de sǐ le liù gè hé shang　tā men gǎn dào yòu nán guò yòu hài pà
名其妙地死了六个和尚，他们感到又难过又害怕。

wù kōng yì tīng　zhī dào zhè yí dìng shì yāo jing gàn de huài shì
悟空一听，知道这一定是妖精干的坏事。

　　　　　dào le wǎn shang　tā fēn fù shī dì men bǎo hù hǎo táng sēng　zì jǐ zé biàn
　　到了晚上，他吩咐师弟们保护好唐僧，自己则变

chéng xiǎo hé shang　zuò zài fó diàn li qiāo zhe mù yú niàn jīng　èr gēng shí fēn　tiān
成小和尚，坐在佛殿里敲着木鱼念经。二更时分，天

kōng guā qǐ yí zhèn fēng　zhǐ jiàn nà gè nǚ zǐ zǒu le jìn lai　ràng wù kōng péi tā dào
空刮起一阵风，只见那个女子走了进来，让悟空陪她到

悟空知道妖精害了人，决定去捉她。

后园去玩耍。二人走出佛殿，来到后园。这时悟空现出真身，抢棒就打。妖精忙挥起双剑架住。打了几个回合，妖精自料难敌，就脱下左脚的绣花鞋，把绣花鞋变成她的模样挡住悟空，真身则化成清风逃走了。当她路过唐僧的卧榻时，趁机把唐僧卷走了。

悟空追上来后，发现师父不见了，他叫出土地神，才知道是陷空山无底洞的妖精卷走了师父。悟空来到无底洞外，向打水的女妖询问得知，她们夫人今晚要与唐僧成亲。悟空连忙纵身进了洞，落了好久才到洞底。他变成苍蝇找了一会儿，发现地下到处都是洞窟，不知道唐僧到底被藏在哪里。这时，忽听有个声音说："快安排酒席，我与唐僧喝完酒后就拜堂成亲。"悟空循声找去，很快就找到了师父。二人随即商量好计策。

悟空打落绣花鞋，才知妖精使计逃走了。

唐僧给妖精斟酒时，按悟空的交代倒出个水花。悟空趁机飞进水花里，想让妖精喝进肚去。谁知妖精眼尖，看到飞虫就把它挑了出来。悟空见此招不成，又悄悄地

妖精把悟空变成的飞虫从酒里挑了出来。

让唐僧引妖精去后花园吃桃。唐僧与妖精来到后花园，悟空先变成飞虫，在唐僧头上叮了一口，然后落在他眼前的树枝上，变成一个最红的大桃子。唐僧把这个桃子摘下来，送给妖精。妖精不知是计，接过来张口就咬。悟空趁机滚进她的肚子里，开始拳打脚踢，疼得妖精直求饶。妖精只得把唐僧驮出洞，悟空这才从她嘴里飞出来。

看到妖精出来了，八戒和沙和尚上前就打。妖精吓得忙用右脚的绣花鞋变成替身，真身化成清风，卷起唐僧又回了洞。悟空紧追进去，看着众多

哪吒带着妖精出了洞。

的洞窟正在发愁，忽然发现有个洞窟里供着两个牌位，上写"尊父李天王之位"、"尊兄哪吒三太子之位"。悟空抱起两个牌位出了洞，对八戒和沙和尚说："我要向玉帝告状，让李天王父子还我师父。"

悟空驾起祥云，去玉帝那儿告了状，这才得知此妖原来是金鼻白毛老鼠精，三百年前曾在灵山偷吃香花宝烛。如来差李天王父子捉住她，又吩咐饶了她。为了报恩，她就拜李天王为父、哪吒为兄。

李天王和哪吒接到圣旨后，很快就带着天兵赶来了。哪吒和悟空率天兵进洞捉妖，将洞里的三百里地都走遍了，最后才在一个黑角落里找到妖精。救出唐僧后，李天王父子俩捆着妖精回天庭复旨了。师徒四人收拾好行李，又继续向西赶路了。

| 第二十四章 |
天竺国玉兔精逼亲

师徒四人走了半个多月,这一日,来到天竺国的布金禅寺。寺里的老院主热情地接待了他们,并说出了一件奇事。去年,一阵大风将一位自称天竺国公主的女子刮入寺中,老院主将其保护起来。哪知国中又有一位公主,老院主难辨真假,便托唐僧去国中打听此事。

第二天,师徒四人来到天竺国城内,找到驿馆,向驿

绣球打中了唐僧。

丞说明来意。驿丞听说他们要倒换关文,就说:"公主今天正在街头抛绣球招亲,你们快去看看吧。"

原来招亲的公主是个妖精,她算出唐僧会

在今天来到天竺国，就在

一年前用风刮走了真公

主，自己变成公主的模样设

局招亲，想招唐僧为驸马，吸取

他的元阳真气，好修炼成仙。

唐僧一走进人群，公主就在

垂帘后悄悄地将绣球抛在

他的头上。这时一群宫女

悟空大战妖精。

迎上来，请他入宫。唐僧不愿意，悟空劝他说："师

父，你先进宫，我自有妙计。"

唐僧无奈，只好随宫女来到宫中。悟空变成

一只蜜蜂停在唐僧的头上，唐僧这才放下心来。不

久，公主走了过来，悟空发现她确实是个妖精，就现

出本相，骂道："妖精，你竟敢出来招摇撞骗！"他举

起金箍棒就要打妖精。妖精见势不妙，拿出一根石杵

样的短棍相迎。二人斗了半日，打得难解难分。悟空变

出千百根金箍棒，围打妖精。妖精慌了，马上化作

一阵清风，跑到一座大山前，转眼不见了。悟空叫出山神和土地神，请他们帮忙找出妖精隐藏的洞穴，将妖精赶了出来。悟空举起金箍棒正要打向妖精，只听空中有人说："大圣住手，棍下留情！"悟空回头一看，原来是太阴星君和嫦娥仙子来了。太阴星君说："这个妖精是广寒宫捣玄霜仙药的玉兔。她私自开了玉关金锁，逃到这里。请大圣看在我的面子上饶了她吧！"悟空答应了，不过提出要将玉兔带回宫中给国王看。太阴星君用手向妖精一指，妖精就现了原形，果然是一只玉兔。

悟空引路，太阴星君和嫦娥仙子领着玉兔来到天竺国皇宫。国王见了，才知道这个公主是假的。悟空又带领着国王一行人来到布金禅寺的给孤园基址，找到了真公主。一家人抱成一团，痛哭不已。国王当即把老院主封为报国僧官，又摆宴答谢唐僧师徒。

第二天，师徒告别了国王等人，继续往西天而行。

原来，妖精是月宫里的玉兔。

| 第二十五章 |

如来佛祖亲赐真经

唐僧师徒又走了很多天，终于来到西方佛地圣境，只见这里家家向善，户户斋僧。

这一天，师徒四人来到一座观宇前，一位道童站在山门前问他们："你们是东土来的取经人吗？"没等师父开口，悟空就认出了道童，抢着说："师父，他是灵山脚下玉真观的金顶大仙，是来接我们的！"金顶大仙微笑不语，将师徒四人迎进观内，安排他们歇下了。

第二天一早，大仙引着他们穿过玉真观的中堂，来到后门，指着灵山对唐僧说："圣僧，你看天空中祥光笼罩、瑞霭千重的地方，就是灵鹫高峰，那里是佛祖的圣境。"说完，大仙便离去了。

师徒四人缓步登上灵山，没走几里路，就看见一条大江横在面前。江面约有八九里宽，四周没有人。唐僧吓了一跳，说："悟空，是不是大仙指错路了？江水这么宽阔，还没有渡船，我们怎能过得去呀！"

悟空笑着说：

"没错，就是这条路！你看那边不是有一座桥吗？只有从桥上过去，我们才能修成正果呢！"

八戒到了凌云渡心生恐惧，悟空在一旁笑话他。

唐僧上前一看，见前面果然有一根独木桥，桥旁边还有一块匾，写着"凌云渡"三个字。八戒看见了，嘟囔着说："这根木头又细又滑，谁敢走呀！"

他们正对着江水发愁时，只见一个人撑着船从江中划了过来，叫道："上船！"唐僧大喜，可是走上前一看，发现那只船竟是一只无底船。悟空火眼金睛，认出渡船的人是接引佛祖，他没有说破，只是催着师父赶快上船。唐僧不敢上，被悟空一下子推了上去，差点儿没栽到水里，幸亏撑船人一把扯住，才安稳地坐在船上。

他们稳稳当当地过了凌云渡，上岸以后，唐僧回头一看，发现无底船早已不知去向，悟空这时才说出那人就是接引佛祖。唐僧这才醒悟，连忙向悟空道谢。悟空说："不用道谢，这叫做彼此扶持。我们幸亏师父指引，才能进入佛门。如今师父又依赖着我们的保护，才脱离了凡胎。"说罢，四人登上灵山之巅，来到雷音寺山门外。

四大金刚见唐僧师徒来了，立即向大雄宝殿报告。如来佛祖马上召集八菩萨、四金刚、五百罗汉、三千揭谛排成两行，传旨召唐僧他们进来。师徒四人来到大雄宝

师徒四人跪拜如来佛祖。

殿前，对佛祖下跪参拜，又奉上通关文牒。佛祖看完了，将文牒还给唐僧，命阿傩、伽叶二位尊者带他们取经书。阿傩、伽叶将师徒四人引到珍楼启宝阁，问："圣僧从东土而来，可有礼物送给我们？"唐僧面露难色，说："路途遥远，没有准备礼物。"尊者感到很失望，但他们没有多说，取出经书交给唐僧师徒。唐僧师徒向佛祖谢别后，踏上了归程。

藏经阁上的燃灯古佛听清了此事，知道阿傩、伽叶索贿不成，不会将真经传给他们，枉费他们十四年求经之苦。于是他叫来白雄尊者，让他将假经书追回

阿傩向唐僧讨要礼物，唐僧面有难色。

来。师徒四人刚走不久，白雄尊者就驾云追了过来。他在空中掀起一阵狂风，将收藏经书的包袱吹散开来，把经书吹得四处飘落。唐僧被吹得跌下马来，八戒和沙和尚慌忙去抓经书，悟空

则拿起金箍棒奋勇直追。白雄尊者知道悟空本领高强，急忙化成一阵风跑了。师徒四人把吹散的经书重新放好，却突然

师徒四人带上经书，踏上归程。

发现经书的每一页都是雪白一片，连半个字都没有。

他们只好又回到雷音寺，来到如来佛祖的宝座前。如来佛祖笑着说："自古经文不可轻传，也不可轻取。你们空手来取，当然送你们无字经书了。"于是他又让阿傩、伽叶再领他们去取有字真经。到了珍楼，二位尊者仍然向唐僧索要礼物。唐僧只好取出紫金钵盂，说："这个钵盂是唐王亲手所赐，弟子特意奉上，聊表寸心。"阿傩、伽叶这才笑着把五千零四十八卷经书传给了他们。师徒四人细细地看了一遍，看到每卷经书上都写满了字，这才把经书收拾整齐，谢过了佛祖，欢欢喜喜地离开了。

| 第二十六章 |

功德圆满修成正果

唐僧师徒刚走，观音菩萨就向如来佛祖禀报道："唐僧四人取经用了十四年，一共五千零四十天，还差八天才够圆满。"于是如来佛祖就命八大金刚追上唐僧师徒，驾着云把他们送回东土，留下真经后，再返回西天。

观音查看师徒四人的受灾簿子。

这时，观音菩萨又查看记录唐僧一路受灾的簿子，发现只有八十难，佛门讲究"九九归真"，他们还差一难，观音菩萨命令揭谛追上金刚后，让他们再发一难。揭谛追上金刚，暗传菩萨法旨。八大金刚按落祥云，将唐僧师徒摔在地上。师徒四人爬起来一看，发现他们到了通天河西岸。大家正发愁如何过河时，只见一只老鼋从河里钻了出来。这只老鼋以前帮师徒四人渡过河，所以彼此认识。见老鼋又来帮忙，师徒四人赶忙踏到老鼋的背上，直奔对

老鼋将身子一晃，唐僧四人就掉进了水里。

岸。老鼋驮着他们游到河中央时，突然问道："圣僧，当年我请你问佛祖，我何时才能修成人身，你问了吗？"可是唐僧到西天只顾取经，早把这件事给忘了。老鼋很失望，于是将身子一晃，钻到了水里，师徒四人也一起被带到了水里。四人挣扎了很久，方才上了岸。等到太阳出来，他们把经书铺在石头上，一页页晒干。可是石头把佛经粘住了几卷，他们在收取时把这几卷经书弄破了，所以至今经本不全，晒经石上也还留着佛经的字迹。

师徒四人把经书重新用包袱裹好，驮在白马上，准备出发。这时，八大金刚见唐僧师徒已经过了最后一难的考验，便出现在他们面前，驾着云将他们直接送到了东土长安。

见唐僧取经归来，唐太宗十分高兴。

唐太宗自从贞观十三年送唐僧西行取经后，就命人在西安关外建了一座望经楼，每年都会来这里探望。这天，唐太宗刚好走上望经楼，见正西方满天瑞霭，原来是唐僧携着一行人驾云而来。他心中大喜，连忙带百官迎上前去。唐僧看到唐太宗后，倒身就拜。唐太宗搀起唐僧，问道："高僧身边的人是谁？"唐僧说："是我在途中收的徒弟。"唐太宗向他道贺之后，登上龙辇，请唐僧上马，带着他和他的三位高徒一同回朝了。来到皇宫后，唐僧拿出取回的真经给唐太

zōng liú lǎn　yòu shuō le qǔ jīng
宗浏览，又说了取经

de guò chéng　zuì hòu hái bǎ tōng
的过程，最后还把通

guān wén dié ná chū lai gěi tā
关文牒拿出来给他

guò mù　táng tài zōng jiàn
过目。唐太宗见

qǔ jīng chéng gōng　fēi cháng
取经成功，非常

xīn xǐ　mǎ shàng xià lìng dà
欣喜，马上下令大

bǎi yàn xí　qìng zhù táng sēng shī
摆宴席，庆祝唐僧师

tú gōng dé yuán mǎn
徒功德圆满。

八大金刚催促唐僧返回西天。

dì èr tiān　táng sēng shī tú lái dào dà diàn　táng tài zōng ràng táng sēng kāi juàn sòng
第二天，唐僧师徒来到大殿，唐太宗让唐僧开卷诵

jīng　táng sēng jiàn yì　yào sòng dú zhēn jīng　bì xū xún zhǎo fó dì　yú shì táng tài
经。唐僧建议，要诵读真经，必须寻找佛地。于是唐太

zōng jiù dài zhe bǎi guān hé táng sēng shī tú lái dào fù jìn de yàn tǎ sì　táng sēng yòu
宗就带着百官和唐僧师徒来到附近的雁塔寺。唐僧又

duì táng tài zōng shuō　nín rú guǒ yào jiāng zhēn jīng chuán bō yú tiān xià　hái bì xū
对唐太宗说："您如果要将真经传播于天下，还必须

chāo téng fù běn　yuán běn de jīng shū yīng gāi zhēn cáng qǐ lai　qiān wàn bù néng bèi qīng
抄誊副本。原本的经书应该珍藏起来，千万不能被轻

yì de xiè dú le　táng tài zōng jué de yǒu dào lǐ　dāng jí zhào
意地亵渎了。"唐太宗觉得有道理，当即召

lái hàn lín yuàn jí zhōng shū kē gè guān téng xiě le zhēn jīng
来翰林院及中书科各官誊写了真经，

bìng zài chéng dōng jiàn le yí zuò sì　jiào zuò　téng huáng sì
并在城东建了一座寺，叫做"誊黄寺"。

táng sēng shǒu pěng jīng juàn　zhèng zhǔn bèi
唐僧手捧经卷，正准备

朗诵时，突然闻到香风阵阵，只听八大金刚在半空中高喊："唐僧，佛祖有令，放下经卷，快跟我们回西天去吧！"话音刚落，师徒四人连同白马便腾空而起，随着八大金刚走了。八大金刚将他们带回了灵山，一看日子，恰好是在八天之内。如来佛祖见唐僧师徒重回灵山，便召他们上殿受职。他封唐僧为旃檀功德佛，封孙悟空为斗战胜佛，封猪八戒为净坛使者，封沙和尚为金身罗汉，封白马为八部天龙马。一行五人都叩头谢了恩。

悟空对唐僧说："师父，现在我已成佛，你也别再念什么紧箍咒了，趁早念个松箍咒，把我的金箍脱下来吧！"唐僧说："当时只因为你难管，所以才用紧箍咒管住你。现在你已经成了佛，金箍自然就没有了，不信你摸摸看！"悟空用手一摸，发现金箍果然没有了。于是旃檀功德佛、斗战胜佛、净坛使者和金身罗汉各自归了本位，天龙马也归了真。这时，所有的佛祖、菩萨、圣僧、罗汉、揭谛等神仙也都各归方位，共诵佛歌，合掌皈依。

师徒四人都
修成了正果。

创世卓越　荣誉策划
Trust Joy Trust Quality

● **图书在版编目 (CIP) 数据**

西游记／（明）吴承恩著;龚勋主编.—昆明:云南教
育出版社,2009.6（2009.7 重印）
（世界经典文学名著宝库:Classics 儿童彩图注音版）
ISBN 978-7-5415-3850-6

Ⅰ.西…　Ⅱ.①吴…②龚…　Ⅲ.汉语拼音-儿童读物
Ⅳ.H125.4

中国版本图书馆 CIP 数据核字（2009）第 090651 号

Journey
to
the West
西游记 ［儿童彩图注音版］

总 策 划	邢　涛		出　版	云南出版集团公司
主　编	龚　勋			云南教育出版社
文字统筹	贾宝花		地　址	昆明市环城西路 609 号
原　著	吴承恩(明)		网　站	http://www.yneph.com
改　写	杜富中		经　销	全国新华书店
			印　刷	北京市松源印刷有限公司
出 版 人	李安泰			
责任编辑	曹洪霞		开　本	787×1092　1/16
设计总监	韩欣宇		印　张	9
装帧设计	赵天飞		字　数	78 千字
版式设计	冯　唯		版　次	2009 年 6 月第 1 版
美术编辑	王　楠		印　次	2009 年 7 月第 2 次印刷
封面绘制	常战波　贾　雪		书　号	ISBN 978-7-5415-3850-6
插图绘制	常战波　贾　雪		定　价	15.80 元
印　制	张晓东			